Sören Kierkegaard
Diario de un Seductor

Colección UCIEZA

Títulos publicados

JORGE MANRIQUE, Poesía completa; BLAKE, Obra poética; HÖLDERLIN, Poesía completa; WHITMAN, Hojas de hierba; DONNE I, Poesía completa; DONNE II, Poesía completa; APOLLINAIRE, Obra poética; MALLARMÉ, Poesía completa; LEOPARDI, Los Cantos; POE, Poesía completa; SHAKESPEARE, Poesía completa; MAIAKOVSKI, Poemas; ROSALÍA DE CASTRO, Follas Novas; RIMBAUD, Poesía completa; SAN JUAN DE LA CRUZ, Poesía completa; SEIS HISTORIAS DE MISTERIO, Edgar A. Poe; ANTES DE ADÁN, Jack London; CONSTITUCIÓN ESPAÑOLA; LAS CANCIONES DE BILITIS, Pierre Louÿs; PASCAL, Ensayos. Correspondencia. Pensamientos; MIS PRIMERAS LECTURAS POÉTICAS, A. Gatell; OSCAR WILDE, Poemas; F. PESSOA, Antología mínima; UTOPÍAS TRAICIONADAS, Jack London; LA DESTRUCCIÓN DE LAS INDIAS, Fray. B. de las Casas; DOBLE CRIMEN DE LA CALLE MORGUE, E. A. Poe; LAS PLANTAS MÁGICAS, Paracelso; AIRES DE MI TIERRA, Curros Enríquez; RUBÉN DARÍO, Poesías escogidas; ANTONIO MACHADO, Antología poética; DIARIO DE UN SEDUCTOR, Sören Kierkegaard; EL REY ARTURO Y LOS CABALLEROS DE LA TABLA REDONDA, Pablo Mañé; PROSAS PRINCIPALES, Arthur Rimbaud; LAS FLORES DEL MAL Y OTROS POEMAS, Charles Baudelaire; LA LEYENDA DEL SANTO GRIAL, M. J. Vázquez Alonso.

KIERKEGAARD

Diario De Un Seductor

Ediciones 29

colección UCIEZA
director: Alfredo Llorente Díez

SOREN KIERKEGAARD, Diario de un Seductor
Traducción: Jacinto León Ignacio
Cubierta: Ripoll Arias + Equipo editorial

La presente edición es propiedad de
EDICIONES 29
Pol. Ind. Can Magí - c/. Francesc Vila, 14
08190 San Cugat del Vallés (Barcelona)
Tel. 93 675 41 35 - Fax 93 590 04 40
E-mail: ediciones29@comunired.com

Primera edición en esta colección: noviembre, 2004

Printed in Spain
I.S.B.N.: 84-7175-534-3
D.L.: B. 39.882-2004

Impreso en España por Domingraf, S. L.
Pol. Ind. Can Magarola - Pje. Autopista, nave 12
08100 Mollet del Vallés (Barcelona)

Ediciones 29, registro editorial n.º 688

Introito

Me cuesta dominar la ansiedad que me acomete en este instante en que me resuelvo a transcribir, con el mayor cuidado, la copia que entonces hice con precipitación y con el corazón alterado. Pero incluso hoy, no obstante, siento idéntica inquietud y me hago idénticos reproches.

No habían cerrado la mesa escritorio y todo se encontraba a mi disposición. Había un cajón abierto. En él, sobre algunos papeles sueltos, se hallaba un volumen en cuarto, encuadernado con óptimo gusto. Estaba abierto en la primera página, en la que, en un pequeño recuadro de papel blanco, dejó escrito de su puño y letra el título: *Comentarius perpetuus n.º 4*.

Estoy tratando de serenarme, diciéndome que de no estar abierto el libro y de no haber sido tan sugestivo el título, no me hubiese vencido la tentación con tanta facilidad.

El título resultaba bastante extraño, más que por sí mismo, por el lugar en el que se encontraba. Al examinar brevemente los papeles sueltos, comprendí de qué se trataba, es decir, episodios amorosos, alguna alusión a aventuras personales y también borradores de cartas.

Ahora, cuando he podido dirigir la mirada por dentro al corazón tenebroso de aquel ser corrompido, cuando con el pensamiento vuelvo al instante en que estuve ante aquel cajón abierto, siento una sensación similar a la de quien, mientras registra la habitación de un monedero falso, descubre una cantidad de papeles sueltos que le indican que está sobre la pista; en esos momentos, a la satisfacción del descubrimiento, se mezcla un gran asombro por todo el trabajo y el estudio realizado.

Pero a mí la cuestión se me presentaba bajo otro aspecto, ya que, careciendo de función policial, mi actitud me colocaba en un camino al margen de la ley. En mi confusión, me sentía tan vacío de ideas como de palabras.

Con frecuencia, nos dejamos dominar por una impresión, hasta que nos liberamos al reflexionar, y esta meditación, rápida y mudable en su agilidad, penetra en el íntimo misterio de lo Desconocido.

Cuanto más desarrollada está la facultad de reflexión, con mayor rapidez vuelvo a asumir el predominio, lo mismo que el funcionario que extiende los pasaportes y, por la fuerza de la costumbre, puede mirar con fijeza y sin desorientarse, las más extrañas caras de los aventureros. Pero, aunque mi ejercicio reflexivo está vigorosamente desarrollado, en el primer instante me dominó un profundo estupor; recuerdo claramente que me sentí palidecer y que poco faltó para que me desvaneciese. ¡Qué sensación de angustia experimenté en aquellos momentos! ¡Si él hubiese regresado a su casa y me hubiera hallado sin sentido ante su abierto escritorio! La mala conciencia, no obstante, puede hacer interesante la existencia...

El título del libro no me llamó demasiado la atención: imaginé que se trataba de una recopilación de fragmentos y párrafos sacados de diferentes obras, hipótesis que creí lógica pues sabía que estudiaba asiduamente. Sin embargo, el contenido era distinto por completo: un Diario personal, redactado con toda minuciosidad.

Cuando lo conocí, no supuse que su vida necesitara un comentario, pero, después de lo que había podido ver, era imposible negar que el título fue elegido a conciencia por un hombre capaz de mirar por encima de sí mismo y de la situación.

El título armonizaba perfectamente con el contenido.

El fin de su existencia era vivir poéticamente y en la vida había sabido encontrar, con un sentido muy agudo, lo que hay de interesante y describir sus sensaciones lo mismo que si se tratara de una obra de imaginación poética. Por tanto, este Diario suyo no está rigurosamente de acuerdo con la verdad y no es una narración; podríamos decir que no se halla en el modo indicativo sino en el subjuntivo. Seguramente debieron escribirlo poco después de los hechos, pero posee una eficacia tan vivamente dramática que hace revivir ante los ojos de nuestra mente, y para nosotros, el huidizo instante.

No cabe la menor duda de que el Diario tuvo el único propósito de un fin de interés particular del autor. Si consideramos el plan general de la obra, lo mismo que sus pormenores, no puede suponerse que fuese escrito con finalidad literaria o con destino a la imprenta.

Y no es que temiera la mirada indiscreta de los profanos; a todos los apellidos se les ha dado una apariencia demasiado extraña para que puedan ser auténticos. Sin embargo, creo sinceramente que ha conservado los nombres propios, de modo que más adelante pudiera identificarlos, pero que los demás se hubieran engañado ante los apellidos. Esta apreciación mía es exacta, por lo menos, en lo que se refiere al nombre de la muchacha, en torno a la que se centra el interés principal, y a la que yo conocí personalmente: Cordelia... En efecto, se llamaba Cordelia, pero su apellido no era Wahl.

¿A qué se debe, por tanto, que este Diario posea todas las características de una creación poética?

La respuesta no es difícil.

Quien lo escribió tenía naturaleza de poeta, es decir, un temperamento que, por así decirlo, no es ni tan rico ni tan pobre como para poder separar perfectamente la realidad de la poesía. El espíritu poético era el signo más que él añadía a la realidad; ese signo más consistía en lo poético de que él gozaba, en una poética situación de esa realidad; cuando de nuevo la evocaba como fantasía de poeta, sacaba partido del placer. En el primer caso, gozaba en ser el objetivo estético; en el segundo, gozaba estéticamente de su propio ser.

Es interesante señalar que, en el primer caso, en su fuero interno se deleitaba de un modo egoísta de cuanto la vida le concedía y, en parte, de aquellas mismas cosas con las que impregnaba la realidad; de ésta, en el primer aspecto, se servía como un medio, en el segundo, elevaba la realidad a una concepción poética.

Por eso mismo, un resultado del primer aspecto es la condición anímica en la que se vino formando el Diario, como fruto del segundo, hasta que maduró; pero no debe despreciarse la observación de que en este caso, las palabras deben entenderse en un sentido algo diferente al otro. Y de este modo pudo percibir siempre la poesía en la doble forma en que su vida transcurrió y a través de esta misma forma.

Más allá del mundo en que vivimos, en un fondo alejado, existe todavía otro mundo y ambos se encuentran más o menos en idéntica relación que la escena teatral y la real. A través de un delgadísimo velo, distinguimos otro mundo de velos, más tenue pero también de más intenso carácter estético que el nuestro y de un valor distinto de los valores de las cosas. Muchos seres que aparecen materialmente en el primero, pertenecen tan sólo a éste, pero tienen su auténtico lugar en el otro. En consecuencia, cuando un ser humano se desvanece de éste y llega casi a desaparecer de él totalmente, puede deberse a un estado de dolencia o de salud. Este es el caso de El, a quien conocí aun sin llegar a conocerle.

No pertenecía al mundo real, pero tenía con él mucha relación. Penetraba en él muy hondamente; no obstante, cuanto más se hundía en la realidad, quedaba siempre fuera de ella. No es que le sacara fuera un espíritu del bien, ni tampoco uno del mal; nada puedo afirmar en su contra...

Padecía de una *exacerbatio cerebri*, por lo que el mundo real no tenía para él suficientes estímulos, excepto en una forma interrumpida. No se alejaba de la realidad por ser demasiado débil para soportarla, sino demasiado fuerte y precisamente en esta fuerza residía su dolencia. En cuanto la realidad perdía su poder de estímulo, se sentía desarmado y el espíritu del mal venía a acompañarle. De eso, él tenía conciencia en el instante mismo en que le incitaban y en esa conciencia estaba el mal.

Conocí a la muchacha cuya historia constituye el tema central del libro; ignoro si sedujo a otras, aunque, seguramente, sería posible deducirlo de sus papeles. Parece que también en esta forma de proceder se condujo del modo absolutamente particular que le caracteriza, pues la naturaleza le había dotado de un espíritu demasiado selecto para que fuese uno de tantos seductores habituales. Con frecuencia aspiraba a algo completamente rebuscado; por ejemplo, a un saludo ya que el saludo era lo mejor que una dama tenía. Por medio de sus finísimas facultades intelectuales, sabía inducir de forma maravillosa a una muchacha a la tentación, ligarla a su persona incluso sin tomarla, sin desear siquiera poseerla, en el más estricto sentido de la palabra.

Imagino perfectamente cómo sabía conducir a una muchacha hasta sentirse seguro de que ella iba a sacrificarlo todo por él. Y cuando lo había conseguido, cortaba de plano.

Todo esto, sin que él, por su parte, hubiese demostrado el menor acercamiento, sin que aludiese al amor en ninguna de sus palabras, sin una declaración y ni siquiera una promesa. Pero, sin embargo, todo había ocurrido; y la desgraciada, al darse cuenta de esto, sentía una doble amargura, puesto que nada le podía reclamar, o se veía lanzada, en una loca zarabanda, a los más opuestos estados de ánimo. A veces le dirigía reproches, para otras reprocharse a sí misma, pero, como en realidad nada había existido, debía preguntarse a sí misma si no era todo producto de su imaginación. Tampoco le quedaba el recurso de confiarse a alguien, pues, objetivamente, nada tenía que confiar.

A otras personas se les puede contar un sueño, pero la

muchacha en cuestión podía haber contado algo que no era un sueño, sino una amarga realidad, pese a lo cual, cuando deseaba desahogar un poco su angustiado corazón, todo volvía a desaparecer. De eso, las interesadas debían dolerse mucho, pero mejor que nadie hubieran podido formarse una idea clara del caso, aunque sintieran pesar sobre sí mismas su carga apremiante.

Por tal causa, las víctimas que él causaba eran de un tipo muy especial: no pasaban a engrosar el número de desdichadas que la sociedad condena al ostracismo; en ellas no se advertía ningún visible cambio; vivían en la relación habitual de siempre; respetadas en el círculo de los conocidos, como siempre; y, sin embargo, estaban sufriendo un profundo cambio, en una forma que a ellas les resultaba muy oscura y para los demás totalmente incomprensible. Su vida no estaba rota, como la de las otras seducidas; tan sólo, habían sido doblegadas y vencidas dentro de sí mismas; por idas para los demás, intentaban inútilmente volverse a encontrar.

Así como podía decirse que recorría el camino de la vida sin dejar huellas, tampoco dejaba materialmente víctimas por vivir en un tono demasiado espiritual para un seductor, tal como vulgarmente se concibe. En ocasiones, sin embargo, asumía un cuerpo «paraestático» y, entonces, era pura sensualidad. El mismo amor que por Cordelia sentía estaba tan lleno de complicaciones, que a causa de ellas parecía ser el seducido; e incluso la propia Cordelia podía sentir la duda en su alma, pues en este caso no supo hacer tan inseguras sus huellas que resultara imposible toda comprobación. Para él, los seres humanos no eran más que un estímulo, un acicate; una vez conseguido lo deseado, se desprendía de ellos lo mismo que los árboles dejan caer sus frondosos ropajes; él se rejuvenecía mientras las míseras hojas se marchitaban.

Sin embargo, en su mente, ¿qué aspecto debió adquirir todo esto? Con toda seguridad, quien induce al error a los demás, debe también caer en este mismo error. Cuando algún viajero extraviado pregunta por el camino a seguir, es muy reprochable indicarle un rumbo falso y luego dejarle marchar solo, pero carece de importancia si se compara con el daño que se hace a quien se le impulsa a perderse por las rutas de su alma. Al viajero extraviado le queda, por lo menos, el consuelo del paisaje, casi siempre variado, que le rodea y la esperanza de que a cada recodo encuentre el buen camino; pero quien se desorienta en su Yo íntimo, queda recluido en un espacio muy angosto y en seguida vuelve a encontrarse en el punto desde el que partió y va recorriendo de continuo un laberinto del que comprende que no podrá salir. Imagino que también esto debió ocurrirle a él, pero de forma mucho más terrible.

No puedo imaginar una tortura mayor que la congoja de una inteligencia intrigante que de súbito pierde su hilo conductor y que, cuando su conciencia despierta y trata de salir del laberinto, vuelve contra sí misma toda su penetración cerebral. Le resultan inútiles todas las salidas de su cueva de zorro: cuando cree ir a alcanzar la luz del día, se da cuenta de que se halla delante de una nueva entrada y, como una fiera despavorida, en la desgarradora desesperación que le acomete, trata de continuo de salir pero de continuo sólo encuentra entradas que lo conducen de nuevo a sí mismo.

Un hombre así no comete crímenes, porque a menudo le engaña su propia superchería, pero recibe un castigo mucho más terrible que un verdadero delincuente; pues, en realidad, ¿qué es el dolor de la expiación si se compara con esta consecuente locura?

El castigo, para él, tendrá un carácter puramente estético: un despertar resulta demasiado ético, según su modo de pensar. La conciencia se le aparece tan sólo bajo la forma de un conocimiento más elevado, que se expresa como una inquietud; y ni siquiera puede decirse que le acuse con toda propiedad, sino que le mantiene despierto y, al inquietarle, le priva de todo reposo. No puede admitirse que sea un demente: la diversidad de sus pensamientos no está fosilizada en la eternidad de la locura.

También a la pobre Cordelia le resultaba muy difícil encontrar la paz. Ella, ciertamente, le perdona de corazón, pero carece de paz pues la duda renace en su alma: fue ella quien quiso romper el compromiso, con lo que provocó su propia desdicha, ya que su orgullo necesitaba algo insólito. Luego viene el arrepentimiento, pero ni siquiera en esto encuentra la paz, pues precisamente en ese instante, otra voz en su conciencia le dice que ella no ha tenido culpa alguna: fue él mismo quien le puso con gran astucia ese propósito en el alma. De este modo nace el odio y su corazón se le aligera al maldecir, pero no recobra la paz, ya que la conciencia le dirige nuevos reproches; se increpa a sí misma por odiarle y se censura por haber sido culpable, incluso engañada.

Al engañarla, él cometió una falta muy grave, pero peor aún fue el desarrollarla estéticamente de modo que ella no pueda prestar con sumisión oído a una sola voz por mucho tiempo y, en cambio, sí puede escuchar más y más reclamos. Cuando en su alma se despiertan los recuerdos, ella olvida pecado y culpa, para evocar tan sólo los instantes de felicidad, dejándose embriagar por una exaltación que nada tiene de particular.

En esos lapsos, ella no se acuerda tan sólo de sí misma, sino que logra comprenderle a él con mucha claridad; esto demuestra la poderosa influencia creadora que sobre ella ejerció, que en él nada afectuoso encuentra, pero tampoco ve en él al ser noble; tan sólo lo percibe estéticamente.

En cierta ocasión, Cordelia me escribió una esquela que contenía las siguientes palabras:

«Llegaba a ser a veces tan espiritual, que como mujer me sentía anonadada; pero luego se volvía apasionado, con tal desenfreno, que casi temblaba por él. En ocasiones, yo era una extraña para él, otras se me abandonaba por completo, pero, luego, al abrazarle, todo desaparecía y con mis brazos solo ceñía "las nubes". Antes de encontrarle, ya conocía yo esa frase, pero sólo él me enseñó su significado y cuando la empleo debo pensar siempre en él; del mismo modo, siempre y sólo a través de él pienso cada pensamiento mío. Desde mi infancia amé la música; él era un maravilloso instrumento, siempre templado, rico en tonos como ningún otro; poseía fuerza y delicadeza en el sentir; ningún pensamiento le resultaba demasiado grande, ninguno excesivamente atrevido o arriesgado; sabía rugir con la misma fuerza que una tormenta de otoño pero también susurrar imperceptiblemente. Ni una sola de mis palabras le resultaba algo vacío, sin efecto, pero no soy capaz de decir si le faltó efecto a mis palabras, pues jamás pude prever cuál sería. Con una sensación de temor inefable, colmado de inmensa beatitud, yo escuchaba la música evocada, que, sin embargo, no había evocado yo; aquella música llena de armonía con la que cada vez sabía arrastrarme.»

Es terrible el castigo de Cordelia, pero mayor el que él sufrirá, cosa que intuí por la irresistible sensación de ansiedad que yo experimento, pensando en todo eso. También yo me siento arrastrado en aquella zona nebulosa, en aquel mundo de ensoñación, donde nuestra misma sombra nos asusta a cada instante.

Es inútil que intente liberarme, pues debo seguirle, como a un acusador mudo y amenazador. ¡Qué cosa más extraña! El sabía envolverlo todo en el más profundo secreto, pero hay un secreto aún más abismal: estoy «iniciado» en su secreto, pero de forma por completo ilegal, deshonesta. Quisiera olvidar y no lo consigo. En alguna ocasión incluso pensé en hablarle de este asunto. Pero, ¿de qué iba a servirme? De seguro que lo negaría todo, afirmando que el Diario no es más que una obra poética o me pediría que me callase, a lo que no me podría negar a causa del modo como me «inicié» en su secreto. Nada hay como un secreto que lleve consigo tanto maleficio y maldición.

De Cordelia recibí una colección de cartas; ignoro si son todas las que escribió pues en alguna ocasión me había dicho que destruyó unas cuantas. Las copié y ahora quiero intercalarlas aquí, en su lugar correspondiente. Ninguna de ellas lleva fecha, pero aun el caso contrario de nada serviría pues cuanto más avanza el Diario más raras son las fechas, y al final, desaparecen por completo.

Se tiene la impresión de que en esa etapa la historia se vuelve tan cualitativamente enjundiosa y, pese a toda realidad concreta, se acerca tanto a la idea que cualquier determinación temporal se hace insignificante. Para suplir esta falta, me ayudó mucho el hecho de que en distintos puntos del Diario existen palabras cuyo sentido, al principio, no pude comprender, pero, al remitirme a las cartas, comprobé que eran el germen o la circunstancia determinante de ella y así me fue fácil ordenarlas, colocando cada una donde está su motivo fundamental. Algunas de ellas deben haber sido escritas en un mismo día.

Para tiempo después de que la abandonara, Cordelia le escribió algunas cartas que él le devolvió, sin siquiera abrirlas. También éstas me las entregó; la propia Cordelia había roto los sellos y puedo copiarlas. Jamás me dijo ella una sola palabra acerca de esas cartas; cuando la conversación se refería a sus relaciones con Johannes solía recitarme unos versos, creo que de Goethe, que siempre pueden significar algo distinto, según el modo como se diga y el estado de ánimo en que nos hallamos:

Ve,
desprecia
la felicidad.
La pesadumbre
vendrá después...

Las cartas de Cordelia dicen así:

Johannnes
No te llamo... mío. Comprendo perfectamente que jamás lo fuiste y por eso me siento castigada con tanta dureza por haberme aferrado a esa idea, como a mi única alegría. Pero te llamo mío, mi seductor, mi embaucador, mi enemigo, origen de mi desventura, tumba de mi dicha, abismo de mi desdicha.

Te llamo mío y me considero tuya: y todas estas palabras que antes acariciaban tus sentidos arrodillados delante de mí en adoración, han de sonar como una maldición para ti, una maldición para toda la eternidad.

Pero, ¡no debes alegrarte de esto, no imagines que, persiguiéndote en vano o tal vez armando mi mano con un puñal, deseo provocar tu burla! Donde quiera que vayas, seguiré siendo tuya, siempre a pesar de todo; aunque te retires a los confines del mundo, seré tuya; aunque ames, por centenares a otras mujeres, seré tuya, tuya hasta la muerte. El mismo lenguaje que contra ti empleo demuestra que lo soy. Te atreviste a una gran villanía seduciéndome a mí, a un pobre ser, hasta el punto de que para mí lo eras todo, la plenitud, y yo no deseaba ningún otro gozo que ser tu esclava.

Sí, soy tuya, tuya, tuya: soy tu maldición.

Tu Cordelia.

Johannes:
Hubo un hombre muy rico, que tenía una gran cantidad de ovejas y de ganado, y una muchacha muy pobre que tan sólo tenía una viejita, y con ella comía su pan y bebía de su taza. Tú eres ese rico, rico de todos los tesoros del mundo; y yo, pobre criatra, no tenía más que mi amor. Y tú me lo quitaste, para gozarlo; pero luego, cuando te sonrieron otros placeres, les sacrificaste lo poco que yo tenía, sin querer sacrificar nada de tu parte.

Hubo un hombre muy rico que tenía una gran cantidad

de ovejas y de ganado, y una pobre muchacha que solamente tenía su amor.

Tu Cordelia.

Johannes:

¿Es inútil toda esperanza? ¿No volverá jamás a despertarse tu amor? Sé muy bien que me amaste, aunque ignoro de dónde me viene esa certeza. Deseo esperar, aunque el tiempo me resulte muy largo: esperar; esperar hasta que no tengas deseo de amar a otra mujer en el mundo... Y si de esa tumba entonces resurge el amor, tu amor, te amaré siempre como antes, Johannes, ¡como antes!

¡Johannes!, ¿es que tu verdadero ánimo puede tener conmigo tan despiadada frialdad? ¿Es que solamente fueron íntimo engaño tu amor y tu rico corazón? ¡Vuelve pronto a ser tú mismo! ¡Sé paciente con mi amor, perdóname si no puedo dejar de quererte! Aunque mi amor sea un peso para ti, ¡llegará, sin embargo, el momento en que volverás a tu Cordelia! ¿Es que no oyes esa palabra suplicante: *tu* Cordelia, *tu* Cordelia?

Tu Cordelia.

Es indudable que Cordelia también sabía modular su palabra, aunque su voz no tuviera la expresión que obligara a Johann a admirarla. E incluso si ella no sabía expresarse con claridad y precisión, a pesar de todo no puede negarse que sus cartas revelan una infinidad de estados de ánimo. En especial, se advierte al leer la segunda carta; sí, en ella, Cordelia apenas tiene una vaga idea de lo que anhela, pero precisamente esa falta de exactitud presta al escrito un tono conmovedor.

El Diario

4 de abril

¡Cuidado, mi bella desconocida! ¡Cuidado! No es tan sencillo descender de un coche; en ocasiones, puede ser un importante paso. Con frecuencia, están tan mal colocados los estribos, que es preciso dejar a un lado la elegancia para salir sin inconvenientes. A veces, sólo es posible salvarse con un alocado salto en brazos del cochero o del lacayo. Cocheros y lacayos... ¿qué bien les va?

Hay momentos que siento el deseo de entrar como sirviente en una casa donde haya señoras jóvenes. ¡Qué fácil le resulta a un criado penetrar en los secretos de su casa!

Pero, ¡por amor de Dios, no baje tan precipitadamente de un coche! ¡Se lo ruego!; ¡ya es de noche! No deseo molestarla, por lo que me ocultó detrás de un farol, para que no me pueda ver: con sólo saber que nos miran nos sentimos perplejos o embarazados. ¡Ahora puede bajar! ¡Permita que el lindo piececillo, cuya gracia tanto admiro, se arriesgue por el mundo! ¡Animo! Ya está seguro de encontrar terreno firme. ¿Acaso aún teme a algún espectador molesto? No creo que sea del cochero ni tampoco de mí...

Acabo de ver su piececito y, cual un buen naturalista de la escuela de Cuvier, saqué mis conclusiones. ¡Rápido, pues! ¡Cómo mi ansiedad aumenta su belleza! Pero no, el temor no es hermoso por sí mismo si no va acompañado por el deseo de dominarlo. ¡Al fin! ¡Con qué seguridad se asienta su diminuto pie!

Nadie se ha dado cuenta de todo esto. Tan sólo en el momento de bajar, ha pasado una sombra ante usted.

¿Mira usted a su alrededor, con cierta turbación, con aire de orgulloso desdén? ¿Una mirada suplicante, con lágrimas en los ojos? Ambas cosas son igualmente hermosas a mi juicio y de las dos me apropio.

Sin embargo, soy pérfido... ¿Cuál es el número de su casa? ¡Ah, no! No va a su casa sino a una tienda de objetos de lujo. ¿Es que, acaso, soy inoportuno siguiéndola, mi hermosa desconocida? Pero ella ya me ha olvidado. Cuando aún no se han cumplido los dieciséis años y se va de compras, se observa con tal placer todo lo que se tiene entre las manos que lo demás se olvida con gran facilidad.

Aún no me ha visto, aunque me encuentro al otro extremo del mostrador; en la pared de enfrente cuelga un espejo. ¡Desgraciado espejo que puedes reflejar su imagen pero no a ella misma! Y ni siquiera puedes adueñarte de esa imagen, espejo desdichado y ocultarla al mundo, sino que la traicionas a todos, como ahora a mí...

¡Qué tormento, aunque el hombre así hubiera sido creado! Hay hombres, sin embargo, que sólo comienzan a gozar de aquello que poseen cuando pueden mostrarlo a los demás: hombres sólo capaces de concebir las apariencias y no la esencia, y que todo lo pierden cuando el ser interior se muestra, igual que este espejo perdería su imagen, si ella se traicionara ante él un solo instante...

¡Pero qué hermosa es, a pesar de todo! ¡Pobre espejo, qué tormento! ¡Por fortuna, no puedes estar celoso! Su rostro posee un óvalo perfecto. Ahora, inclina la cabeza un poco hacia adelante, de modo que su frente se hace más alta: la hermosa frente, pura y altiva, no tiene el menor defecto.

Son oscuros sus cabellos y el cutis transparente y mórbido al tacto; lo adivino en sus ojos. Sus ojos... No, no consigo verlos porque los ocultan esas largas pestañas, curvadas como alfileres, que pueden volverse peligrosas para quien busque la mirada que ocultan.

Su rostro es como una fruta: se funden sus rasgos, llenos y suaves, sin la menor esperanza. Tiene cabeza de *Madonna*, pura e inocente. Se despoja de un guante y muestra al espejo, y, por tanto, también a mí, una cándida mano, de griega perfección, y sin siquiera el liso anillo anular. ¡Muy bien! Ahora levanta los ojos: esto la transfigura totalmente y, sin embargo, continúa siendo la misma; la frente no es tan alta, el rostro resulta menos ovalado, pero está más llena de vida.

Habla con el dependiente... Está alegre y charla con agrado. Ya ha elegido dos o tres cosas, toma otra en la mano para examinarla, pregunta el precio y la deja a un lado, bajo los guantes. Quizá sea un regalo para la persona amada. Sin embargo, es indudable que no está prometida. Pero hay tantas que no tienen compromiso y, no obstante, tienen un enamorado, y otras muchas que, teniendo compromiso, carecen de amor. ¿Es que voy a dejar que se marche? ¿Debo abandonarla a su inocencia, sin molestarla?

Va a abonar su compra, pero ha olvidado el monedero. Puede que indique sus señas, pero no quiero oírlas, no deseo privarme de una sorpresa; pese a todo, volveremos a encontrarnos en la vida. Entonces, yo la reconoceré y tal vez ella también me reconozca a mí. No es sencillo olvidar mi mirada oblicua.

Si no me reconociese, lo advertiría por la expresión de su rostro: pero no van a faltarme ocasiones de mirarla como yo sé hacerlo. Y entonces recordará el haber sentido sobre sí mi mirada.

Y ahora, un poco de paciencia, sin apremios: me la han destinado y algún día me pertenecerá.

5 de abril

Pasear solo por la Ostergade, al anochecer, es una de las cosas que prefiero, que más amo.

Sí, sí, hoy he visto al siguiente que la sigue a usted por todas partes.

Pero, ¿cómo he podido ser tan mal pensado como para creer que a usted le gustaba ir sola?

¿Es que seré yo tan inexperimentado como para no darme cuenta de la seria y plácida figura del sirviente? Pero... ¿por qué anda usted tan deprisa? Es indudable que se siente cierto temor, ¿no es verdad?, un ligero estremecimiento en el corazón, no a causa de un intenso deseo de volver a casa, sino por un recelo vago o indeterminado que sobresalta todo nuestro cuerpo y nos impulsa a apretar el paso. Pero es algo magnífico e impagable el poder ir sola, aunque con el lacayo detrás.

Tiene dieciséis años, ha leído algo... es decir, novelas. Al cruzar la habitación del hermano, capto algunas palabras de un diálogo entre éste y sus amigos que se referían a la Ostergade. Después, cruzo varias veces por la habitación, con el único propósito de oír algo más.

Pero todo inútilmeente... ¿Qué pretexto podía hallar para ir sola una sola vez, acompañada por el criado? No, sus padres iban a sorprenderse mucho si se lo solicitara; además, ¿qué motivo podía inventar?

Para una invitación formal, es demasiado pronto: la hora conveniente, al decir de Augusto, sería entre nueve y diez, pero luego, cuando se regresa demasiado tarde, debe contarse con la compañía de un caballero. La otra noche, al salir del teatro, hubiera sido una excelente ocasión, pero tuvo que retirarse con la señora Jensen y las amables primas. De estar sola, hubiera podido bajar el cristal de la ventanilla y mirar fuera. Pero casi siempre lo inesperado viene por sí solo.

Hoy me ha dicho mamá:

—No podrás terminar el bordado para la onomástica de papá, así que vete a casa de la tía, donde podrás trabajar sin molestias; enviaré a Jens a buscarte a la hora del té.

Estas palabras de mi madre no me han agradado, pues la

compañía de mi tía es de lo más aburrido; sin embargo, tenía la ocasión de volver a casa alrededor de las nueve, sola con el sirviente.

Si Jens llegase ahora, le haría esperar hasta las nueve y cuarto para irnos. Si encontráramos a mi hermano o al señor Augusto... Pero sería mejor no encontrarlos, pues deberíamos ir juntos.

No, no, es preferible estar libre... Pero si pudiera verles sin que se dieran cuenta...

Mi querida señorita, ¿qué es lo que cree que iba a descubrir? En cambio, al contemplarla a usted es posible descubrir muchas cosas... Ante todo, ese gorrito le sienta perfectamente y armoniza por completo la expedición, organizada tan aprisa. En realidad, no es ni un sombrero ni un gorro, sino una especie de cofia. Pero dudo que la llevase esta mañana al salir de casa... ¿Se la ha traído el criado o se la pidió usted a su tía? ¿Quiso así asegurarse el incógnito?

Sin embargo, cuando se quiere ver algo, no se debe bajar totalmente el velo. Puede que no sea un velo, sino una ancha blonda; en la oscuridad no se distingue claramente.

Tiene usted un hermoso mentón, aunque algo agudo; la boca es pequeña y mantiene los labios ligeramente entreabiertos cuando respira, a causa de las prisas. Los dientes son blancos como la nieve. De los dientes dependen muchas cosas. Es semejante a un cuerpo de guardia que se oculta detrás de la seductora morbidez de los labios. Las mejillas aparecen sonrosadas, de salud.

Si inclinase la cabeza a un lado, quizá se podría penetrar bajo el velo o la blonda. Pero, ¡cuidado! Una mirada desde abajo es mucho más peligrosa que una directa: igual que en esgrima, el movimiento correspondiente.

Y, ¿qué arma es tan fuerte, aguda y rápida en su movilidad, y por eso tan traidora, como un ojo?... ¡Cuidado!, un hombre viene; una mirada profana la podría ofender y no sabría usted que tal vez le costara librarse de la odiosa sensación de ansiedad que él puede provocar.

Aunque ella no lo nota, yo he comprendido perfectamente que él se ha dado cuenta exactamente de la situación.

Sí, ahora se da usted cuenta de las consecuencias a que puede llevar el salir sola con el criado. El criado acaba de caerse. En realidad, es un poco ridículo, pero ¿qué hacer en este caso? Volver atrás y ayudarle a levantarse... No, no es posible; y, luego, ¿andar por la calle con un sirviente que tiene sucio el traje? ¡Qué desagradable! ¿Y seguir sola? No, es un atrevimiento excesivo.

Pero usted, sin contestarme, se limita a mirarme con fijeza. ¿Tal vez mi aspecto exterior le hace recelar algo? No puedo impresionarla mucho ya que en estos momentos tengo el aire de un buenazo, caído de no se sabe dode. Nada hay en mis palabras que pueda inquietarla, nada que recuerde o que permita intuir una situación desagradable, nada que parezca indiscreto.

Usted se muestra aún un poco recelosa... pues no ha podido olvidar aquella odiosa figura. Pero, mientras, empieza a sentirse mucho mejor dispuesta hacia mí; mi estupor, que me impide abordarla, le devuelve el dominio de sí misma. Esto le agrada y se siente más segura. Casi siente la tentación de reírse un poco de mí... Estoy seguro de que en estos momentos, hasta sería capaz, si se atreviera, de tomarme del brazo.

¿De modo que usted reside en la Stormgade?

¿Por qué me dirige esa breve y fría reverencia? ¿Es que acaso la merezco por haberla arrancado de una situación violenta? Pero en seguida se arrepiente, ¿no es cierto? Ahora se vuelve usted, me agradece mi amabilidad, me tiende la mano... Pero, ¿por qué palidece? ¿Es que mi voz se alteró, no me comporto como siempre, no mantengo las manos quietas y los ojos tranquilos? Y ese apretón de manos... Pero, ¿es que un apretón de manos significa algo? Desde luego, muchísimo, mi amada señorita y dentro de quince días se lo explicaré; mientras, la duda luchará en su alma.

Soy un hombre bueno, que acudió caballerosamente para ayudar a una niña y que sólo puede estrecharle la mano por simple cortesía...

7 de abril

«El lunes, sobre la una, en la Exposición.»

De acuerdo, tendré el honor de encontrarme en el lugar convenido, a la una menos cuarto. Una cita.

El sábado me propuse y resolví alegremente visitar a mi amigo Adolf Brunn, que se halla de viaje. A eso de las siete de la tarde me fui a la Westergade, donde sé que residía. Naturalmente, no le pude encontrar, ni siquiera en ese tercer piso al que llegué sin aliento. Al descender, me llegó al oído una melodiosa voz de mujer que decía en un susurro:

—El lunes, entonces, en la Exposición, sobre la una. Los demás han salido pero sabes muy bien que no debo recibirte en casa.

La invitación no me iba dirigida, sino a un joven que, en tres zancadas, llegó hasta el portón, tan de prisa que ni mis ojos ni mis piernas lograron alcanzarle. ¿Por qué en esas casas no encienden el gas de las escaleras? Por lo menos, hubiera podido convencerme de si por mi parte merecía la pena acudir a esa cita con tanta exactitud. Pero de haber habido luz, puede que no hubiese tenido ocasión de oír esas palabras.

Lo que ocurre es siempre lo que razonablemente debe ocurrir; soy y sigo siendo un optimista...

Pero, ¿cómo reconocerla? En una exposición hay siempre tantas muchachas...

Es, exactamente, la una menos cuarto.

«Adorable hechicera, hada o genio, disipa la niebla que te envuelve, descúbrete, pues sin duda estás aquí, pero resultas invisible; ¡traiciónate o voy a esperar en vano tu aparición!

Puede que haya también aquí otras muchachas que acuden por un propósito parecido. Nada es más posible. ¡Nadie puede conocer los caminos de los hombres, ni siquiera el que va a una exposición!

En ese instante, llega una muchacha que corre más que los remordimientos tras el pecador. Se olvida de entregar el billete de entrada y la llama el portero de librea. ¡Dios mío, qué apuro! Es ella, sin duda.

Pero, ¿a qué tanta prisa? Aún no es la una. Va a encontrarse aquí con el hombre amado: recuerde que en estas ocasiones resulta muy importante el aspecto que se tiene.

Cuando una persona muy joven acude a una cita de amor, corre hacia el sitio igual que una furia. Ella parece enajenada por completo. En cambio, yo me quedo sentado muy cómodamente en mi silla, contemplando un hermoso paisaje colgado de la pared de enfrente.

¡Que diablo de muchacha! ¡Corre por todas las salas igual que un huracán!

Sí, debería contener un poco su deseo y recordar lo que Erasmo Montano le decía a la reina Isabel:

«No le conviene a una joven que va a una cita de amor mostrarse inflamada de ansiedad.»

Desde luego, su cita no es de las inocentes...

Suele considerarse el encuentro de dos enamorados como lo más hermoso que existe. Yo recuerdo aún, como si fuera ayer, la primera vez que corrí al sitio fijado, con el corazón muy seguro, e ignorante, a pesar de todo, del gozo que me esperaba; la primera vez que batí palmas y se abrió una ventana; la primera vez que la invisible mano de una amada me abrió la minúscula puerta de un jardín; la primera vez que, bajo mi capa, oculté a una muchacha en una noche de verano...

Sin embargo, en la apreciación de todas estas cosas, la ilusión desempeña un gran papel. El observador desapasionado no puede aceptar siempre que los enamorados se presenten en su mejor aspecto en esos instantes críticos. Con frecuencia, sentí, aun siendo encantadora la muchacha y muy apuesto el varón, algo así como una impresión poco menos que desagradable.

Con el crecer de la experiencia, hay también cierta ventaja; es cierto que se pierde la suave inquietud y el impaciente deseo, pero se adquiere, a cambio, el suficiente dominio de uno mismo para la hermosa actitud del instante. Me siento invadido por la ira al ver a los hombres tan excitados en esas circunstancias, hasta caer en una especie de «delirium tremens» de amor. En vez de saborear tranquilamente la inquietud de la amada, en vez de admirarla con la exaltación del alma encendida en una luz ardiente de belleza, ese enamorado crea tan sólo una confusión bastante fea y regresa alegremente a su casa, imaginando que ha realizado cualquier maravilla.

Pero, ¿dónde diablos se quedó ese individuo? ¡Son ya las dos! ¡Qué gente más curiosa son esos enamorados! ¡El palurdo se hace esperar mucho por la muchacha! No, yo soy de una pasta muy distinta: ¡en mí, por lo menos se puede confiar!

Más vale que le hable si pasa ante mí por quinta vez.

—Perdone mi atrevimiento, hermosa señorita, pero está usted buscando por aquí a alguien de su familia, ¿no es cierto? Ha pasado por aquí varias veces y, siguiéndola con los ojos, he advertido que se detenía siempre en la penúltima sala. Quizá no sepa que hay una sala más y puede que allí encuentre lo que busca.

Ella me responde con una ligera reverencia con la cabeza. Excelente, una ocasión magnífica: me complace mucho que el otro no aparezca. En las aguas agitadas se pesca mejor: con una muchacha, cuando se siente conmovida, inquieta, irritada, se pueden emplear con buen resultado muchas cosas que de otro modo conducirían al fracaso.

A mi vez, me inclino con una cortesía llena de respeto, me siento nuevamente y vuelvo a contemplar el paisaje, aunque no aparte los ojos ni un momento de su figura. Colocarme a su lado en seguida me parece muy peligroso, pues podría parecerle demasiado atrevido y se mantendría en guardia; en cambio, ella ahora cree que le hablé tan sólo por amabilidad y me ve con mucha más benevolencia.

Sé perfectamente que en la última sala no hay nadie. La soledad va a influir en ella de modo saludable; mientras se ve rodeada de mucha gente, tiene la sensación de estar sola y, por lo menos, se siente intranquila; una vez sola de veras, volverá a recobrar la calma.

Excelente. Ahora, se entretiene en esa sala. Iré yo también, como *en passant*[1]. Tengo derecho a hablarle una vez más y ella me debe un saludo. Se ha sentado. ¡Qué aspecto más triste tiene la pobre muchacha! ¡Ha debido llorar o, por lo menos, las lágrimas han asomado a sus ojos! ¡Es ciertamente odioso hacer llorar a una muchacha! ¡Pero no te inquietes; hay que vengarte y yo te vengaré! Él deberá aprender lo que significa hacerse esperar demasiado.

¡Qué hermosa es, ahora que, sosegado ligeramente el torbellino de la pasión, se está ahí, envuelta únicamente por una sensación de pesar! Todo su ser es tristeza, todo armonía de dolor. Sigue sentada con su trajecito de viaje y no parece querer marcharse. Se lo puso alborozada por la idea de salir y se le ha convertido en símbolo de tristeza. Parece una persona de quien huye la alegría: es como si se despidiera para siempre del amado. ¡Déjale que se vaya de una vez!

La ocasión es muy propicia; me está llamando. Es preciso que, al hablarle, haga como si verdaderamente creyese que está buscando a su familia o a sus amigos. Pero debo hacerlo en un tono tan cálido, que cada palabra corresponda a sus sentimientos. En esa forma podré penetrar en sus pensamientos...

¡Que el diablo se lleve a ese pazguato! ¡El debe ser! ¡Y llega precisamente ahora en que la situación es tal como yo la deseaba!

1. En francés en el original. (*N. del T.*)

Pero no todo está perdido. Al verme de nuevo, aun sin quererlo, deberá sonreír, puesto que cree que la imaginé buscando a su familia, mientras que, en realidad, esperaba algo muy distinto...

Esa sonrisa me permite introducirme en su confianza, lo que ya es algo... Gracias, muchas gracias, chiquilla mía; esa sonrisa vale, a mis ojos, mucho más de lo que puedes creer: esa sonrisa es un comienzo y el comienzo resulta siempre lo más difícil. Ahora nos conocemos ya y nuestro conocimiento se basa en una situación enardecedora. De momento, me basta. Y yo me quedaré aquí otra hora a lo sumo. En una hora, he de saber quién es usted. Para qué, sino para eso, sirve la oficina de Registro Domiciliario?

9 de abril

¿Es que estoy ciego? ¿Es que he perdido la energía visual de mi mirada íntima del alma? La vi un solo instante, cual una aparición celestial, y ahora su imagen se ha desvanecido por completo en mi memoria. Trato, inútilmente, de recordarla. Pero la reconocería entre miles de muchachas. Está lejos de mí, y en vano la busca mi ilimitado deseo, con los ojos del espíritu.

Me estaba paseando por la «Línea larga», sin prestar aparentemente atención al mundo que me rodeaba: pero, por el contrario, nada escapaba a mis encantadores ojos... La vi. La mirada, negándose a obedecer por más tiempo la voluntad de su dueño, se quedó fija en ella.

No pude realizar el menor movimiento: no veía, pero sí miraba con ojos abiertos de par en par, que se clavaban en ella. El ojo, cual el esgrimista que se queda irreductible en su sitio, permanecía firme, petrificado en la dirección tomada. No pude bajarlos, me resultó imposible ocultar mi mirada, no conseguí ver nada, pues estaba viendo demasiado.

Lo único que me quedó grabado en la mente fue una

capa verde que ella lucía. Y nada más. Lo mismo que aquel que vio las nubes en lugar de la diosa Juno.

La acompañaba una dama de más edad, su madre sin duda. A esta última podría describirla minuciosamente, aunque sólo la miré al vuelo y, en cambio, olvidé a la muchacha que tan profunda impresión me había causado. ¡Así son las cosas! Se me escapó, como José ante la mujer de Putifar, y no me quedó más que la capa...

14 de abril

Mi alma aún forcejea, apremiada por la misma contradicción. Sé que la he visto, pero también sé que la he olvidado y, así, este residuo de recuerdo puede brindarme poco consuelo. Mi alma reclama aquella imagen con tanto desasosiego y tanta violencia, como si todo mi bien estuviera en juego. Sin embargo, no puedo distinguir nada; desearía arrancarme los ojos para castigarlos por haber olvidado con tal facilidad.

Cuando se apacigua mi impaciencia y recobro la calma, casi me parece que sentimientos y recuerdos sólo me interesan delante de una imagen, su imagen; pero jamás consigo llegar a una configuración de nítidos contornos. Es igual que una trama de tejido muy tenue, cuyo dibujo es más claro que el fondo y no se le puede ver porque resulta demasiado desvaído.

Me encuentro en una extraña situación que, pese a todo, tiene en sí misma algo agradable. Aún me siento joven y de esto me convence otro hecho; elijo mis víctimas entre las muchachas y no entre las jóvenes casadas. Una mujer casada resulta menos espontánea y tiene menos coquetería y, con esas mujeres, el amor no es ni hermoso ni interesante. Apenas resulta excitante y lo excitante es siempre lo que menos interesa...

Nunca creí que volvería a sentir el perfume de un primer amor. Nada de extraño tiene que ahora me encuentre un poco extraviado. Mucho mejor, pues de esta nueva pasión espero más que nunca.

Ni yo mismo me reconozco; el corazón me estalla, tempestuoso, como en un mar hinchado por violenta borrasca. Cualquier otro iba a creer que mi nave va cortando con su aguda proa el enorme oleaje y que en su terrible travesía se hundirá en los abismos, pero sentado entre los mástiles, hay un experto e invisible marino, que sabe encauzar bien la ruta.

¡Desencadenaos en tempestad, salvajes elementos! Aun si las olas lanzan la espuma hasta las nubes, no vais a poder llegar hasta mí: estoy tranquilo, como un rey de los escollos. Sin embargo, en ocasiones me resulta difícil encontrar tierra firme y, cual pájaro marino, busco el sitio por el que penetrar en el enfurecido mar de mi alma. Pese a todo, esta excitación es mi elemento vital y edifico sobre ella, lo mismo que el alción construye su nido en el mar...

20 de abril

En todo goce, reviste suma importancia saberse dominar.

Creo que no podré volver a ver más a la muchacha que se apoderó de mi alma y de mis pensamientos. Pero deseo intentar mantenerme en una tranquilidad perfecta: también tienen un fuerte atractivo esos estados de ánimo oscuros e indefinidos.

Siempre me gustó tenderme en una barca, durante las noches de luna, en alguno de nuestros maravillosos lagos.

Recojo las velas, retiro los remos y me acuesto tendido en la barquichuela, para contemplar el cielo sobre mí. Cuando las olas acunan en sus pechos la barca, cuando sobre mí pasan las nubes que se lleva el viento, de manera que la luna parece ir y venir, mi inquietud se va sosegando.

Las olas me adormecen con su música en sordina, que se diría una monótona caricia de cuna; el apresurado paso de las nubes y la fuga de las luces y de las sombras me embriagan y sueño, con la suave vigilia. También ahora, retirados los remos, estoy tendido sobre las velas dobladas y me dejo llevar sin meta por el deseo y la impaciente espera.

Espera y deseo se ablandan cada vez más y me acunan y me acarician igual que a un niño. Y la esperanza va ensanchando por momentos su cielo sobre mí, y una imagen, su imagen, pasa vagamente por el éter, como la luna, a veces cegándome de luz y a veces cegándome de sombras.

¡Qué placer voluptuoso dejarse acunar por las temblorosas aguas!

21 de abril

Los días van pasando uno tras otro y yo sigo buscándola en vano... Más que nunca me alborozo pensando en ella, pero mi alma no tiene deseo de alegrarse. Esto, con frecuencia, me entristece y me perturba, nublándome la vista.

Ahora va a llegar la estación más hermosa, en la que, cuando se vive al aire libre, se puede adquirir lo que vamos a pagar bastante caro con la vida de sociedad durante el invierno.

La vida social nos coloca, ciertamente, en contacto con el sexo débil, pero no puede ofrecernos el necesario calor para la verdadera pasión. En los salones, las muchachas están defendidas con todas sus armas y tampoco la situación, que es *toujours la même*[1], puede despertar en ellas un estremecimiento de voluptuosidad.

En la calle, en cambio, se encuentran como en alta mar: todo les impresiona de modo más profundo porque es más dramático. Daría cien táleros[2] por la sonrisa de una mucha-

1. En francés en el original. (*N. del T.*)
2. *Tálero*: antigua moneda alemana. (*N. del T.*)

cha en la calle pero nada iba a dar por un apretón de manos en sociedad. Pues aquí debemos buscar nuestras presas tras haber comenzado.

Cuando nuestras relaciones con una muchacha han comenzado con una comunicación misteriosa y seductora... se carece del más eficaz estímulo para el amor. Ella no se atreve a hablarnos de eso, aunque lo piense; no sabe si hemos olvidado o no, y en una forma u otra se queda engañada.

Este año, sin embargo, no voy a hacer provisión para el invierno; esa muchacha me ocupa y me preocupa demasiado. Mi provisión queda de ese modo limitada pero, ¡cuánto mayor es la esperanza de ganar un premio más importante!

5 de mayo

¡Maldito azar! Jamás maldije de ti cuando aparecías y te maldigo ahora en que te ocultas. ¿O se trata de una nueva invención tuya, inconcebible ser, estéril fuente de todo, único superviviente de aquel tiempo en que la necesidad dio a luz a la libertad y la libertad fue tan insensata que volvió al seno materno?

¡Maldito azar! ¡Tú, mi único amigo íntimo, único ser al que creía digno de confianza, de mi alianza y de mi enemistad, siempre inestable y siempre igual a ti mismo, siempre incomprensible, eterno enigma!

Tú, al que quiero con toda la simpatía de mi alma, sobre cuya imagen me he formado y he ido perfeccionándome a mí mismo, ¿por qué no te muestras? Yo no mendigo, no te suplico humildemente, para que te manifiestes de una u otra manera, porque en semejante adoración ibas a encontrar una forma de idolatría y no te gusta a ti la idolatría; en cambio, yo te invito a la lucha. ¿Por qué no acudes? ¿O es que se ha aplacado la inquietud del universo, se resolvió acaso el enigma o es que tú te precipitaste en el abismo de la eternidad? ¡Terrible pensamiento! En tal caso, el mundo del aburrimiento debería detenerse...

¡Maldito azar! Te aguardo. No deseo obtener la victoria con máximas ni con lo que los locos denominan carácter. No, yo deseo poetizarte. No deseo ser poeta para los demás; descúbrete y yo seré tu poeta... Luego, podré alimentarme de mi propia poesía, que será mi único alimento.

¿O es que me juzgas indigno? Voy a consagrarme a tu servicio, igual que las bayaderas bailan en honor de su dios. Ligero, con mínima vestimenta, desarmado, renuncio a todo. Nada poseo y nada quiero poseer, a nada amo y por eso nada tengo que perder y así me hice más digno de ti, de ti que tanto te cansaste, en el dilatado tiempo, de robar a los seres humanos aquello que aman, harto de sus cobardes suspiros, de sus rezos interesados. Sorpréndeme, pues estoy preparado...

Pero haz que la vea, muéstrame una posibilidad que ya me parece imposible, indícamela aunque sea entre sombras del Averno, que yo la sacaré hasta aquí arriba; haz, si quieres, que me odie, que me desprecie, que sea indiferente para conmigo, que ame a otro... Yo no temo. Pero agita las aguas estancadas, quiebra la quietud; dejarme morir de inanición de esta manera es algo miserable, que cometes tú al que creía más fuerte que yo...

6 de mayo

La primavera ha llegado. Todo el mundo sale de casa y las muchachas también. Los abrigos y las capas se arrinconan y lo mismo va a ocurrirle a aquella prenda verde... ¿Dónde estará ahora? ¿Y la muchacha que la lucía? No lo sé. Esto es lo que ocurre cuando se conoce a una muchacha en la calle en vez de en un salón, donde en seguida se sabe con exactitud a qué familia pertenece, dónde vive y si está o no comprometida.

Esta última condición es de suma importancia para todos los adoradores tranquilos, serios, gente buena a la que ni remotamente se les ocurriría enamorarse de una muchacha que ya tiene novio. Un caballero de esa especie que se encontrase en mi misma situación, iba a hundirse de mortal angustia, de obtener éxito sus esfuerzos por conseguir noticias de su amada, pero supiera que ya estaba comprometida. Pero no me preocupa a mí. Un novio no es más que una cómica dificultad y yo no temo las dificultades, sean cómicas o trágicas; tan sólo me asusta una cosa: el aburrimiento.

Hasta ahora no tuve noticias suyas, aunque no he descuidado ningún detalle; es más, con frecuencia he comprobado la verdad de las palabras del poeta: *nox et hiems longaeque viae saevique dolores mollibus his castris et labor omnis inest*[1].

Tal vez ella ni siquiera reside en la ciudad; quizá venía del campo, quizá... Acabaría enloqueciéndome con todos esos «quizá». Y cuando más me torturo más se me presentan. En vano la voy buscando en los teatros, en los conciertos, en los bailes y en los paseos.

Hasta cierto punto, me alegro de no encontrarla allí, pues una muchacha que toma parte en muchas diversiones no merece ser conquistada. Por lo general, le falta esa fresca espontaneidad que es y seguirá siendo *conditio sine qua non*.

No resulta tan imposible encontrar a Preciosa entre los gitanos, como lo es en un salón de baile donde las muchachas se ofrecen en venta, de modo inocente, claro está, ¡y que Dios guarde a quien piensa de otro modo![2]

1. La noche, el invierno, los largos caminos y los crueles dolores, así como toda la labor, están en los muelles refugios. (*N. del T.*)

2. Se refiere al personaje descrito por Miguel de Cervantes en *La Gitanilla* (*N. del T.*)

Pero, criatura, ¿por qué no se queda usted tan tranquila debajo del portón? Nada hay de extraño en que una muchacha intente guarecerse cuando llueve. Yo también lo hago, cuando no tengo paraguas, y algunas veces aunque lo tenga, como, por ejemplo, ahora. Lo hacen asimismo muchas damas respetables, sin siquiera pensarlo. Se queda uno allí quieto, vuelto de espaldas a la calle, de manera que los transeúntes no sepan si se está allí detenido o para ir a visitar a alguien que vive en la casa.

En cambio, es una gran imprudencia ocultarse detrás de la puerta, sobre todo cuando está abierta sólo a medias, una imprudencia por las consecuencias que puede tener; cuanto más se esconde uno, más desagradable resulta que le descubran. Es preferible estarse quieto y encomendarse al demonio que nos protege: pero sobre todo lo que no se debe hacer es asomarse a la puerta a cada momento para ver si escampa; sin embargo, en caso de quererse cerciorar, se da un paso hacia la calle y se mira al cielo abiertamente. Cuando, por el contrario, se va asomando continuamente la cabeza, con un gesto a la vez preocupado y curioso, para retirarse en seguida, incluso un niño iba a comprender que estamos jugando al escondite. Y yo, que siempre jugué a eso con mucho gusto, no iba a contestar si me preguntaran...

Pero no vaya a creer que se me ha ocurrido una idea menos que respetuosa a este respecto. No tenía usted segundas intenciones al asomar la cabeza, era lo más inocente del mundo. En cambio, no debe pensar mal de mí; ni mi buen nombre ni mi buena fama iban a tolerarlo. No le aconsejaría que hablara usted con alguien acerca de esto. Cuando le ofrecí mi paraguas, no pensé más que lo que cualquier otro caballero respetable y respetuoso en la misma ocasión...

¿Por dónde desapareció? Lo más curioso es que fue a ocultarse en la portería... Es como una maravillosa niña, todo brío y contento.

—Quizá pueda decirme algo de la señorita que en estos momentos asoma la cabeza por el portón y que sin duda está preocupada porque carece de paraguas: mi paraguas y yo la buscamos.

—¿Se ríe? ¿Me permitirá que mañana envíe a mi sirviente para recogerlo o prefiere que vaya en busca de un coche para usted?

—Por favor, nada tiene que agradecerme: se trata tan sólo de una irrenunciable gentileza.

Esa joven es de las más briosas que conocí; tiene una mirada muy infantil y, al mismo tiempo, muy provocativa; su espíritu guarda una encantadora reserva y, sin embargo, tiene tal avidez de saber cosas. ¡Ve con Dios, niña mía!; de no haber sido por una capa verde, habría deseado trabar contigo un conocimiento más profundo...

15 de mayo

¡Bondadoso azar; gracias, mil gracias!

Ella era delgada y altiva, misteriosa y plena de pensamientos, cual un abeto, cual un vástago, cual una idea que desde lo más hondo de la tierra se eleva al cielo. Misteriosa, pero misteriosa por sí misma, era un todo sin partes. El haya se va ensanchando, se alarga encima del tronco, en corona, y sus innumerables hojas agitadas por el viento van contando lo que ha ocurrido debajo suyo: el abeto no tiene corona, carece de cuernos, es el árbol misterioso. Así era ella también. Era ella misma, oculta en sí misma. Se elevaba hacia las alturas, liberándose de sí misma, llena de sosegada altivez, con el impulso del abeto, que, no obstante, está atado a la tierra.

En ella había, algo difusa, una tonalidad melancólica, similar al gemir de la paloma silvestre. Era una profunda aspiración que nada desea, era un enigma que poseía en sí mismo su propia solución, era como un misterio. Y nada hay en el mundo que tenga tanta belleza como la palabra que puede resolver este enigma.

¡Gracias, bondadoso azar, mil gracias! Si la hubiese vuelto a ver durante el invierno, se me hubiera aparecido envuelta por completo, en su capa verde, tal vez un poco aterida de frío, quizá menos hermosa a causa de la crudeza del tiempo.

Pero, ¡qué dicha! He tenido ahora la suerte de volverla a ver por vez primera durante la primavera, en la más hermosa estación del año, en un resplandor de luz vespertina.

Naturalmente, también el invierno tiene sus ventajas. Un salón que resplandece de luz puede ser marco apropiado para una muchacha en traje de baile, pero ella difícilmente resulta favorecida, ya que éste es el fin que persigue y, también, porque todo este aparato obliga a pensar, por contraste, en la vanidad y en la fragilidad, despertando de esta manera una especie de impaciencia que resta frescura al goce.

A veces, yo renunciaría con placer al salón de baile, pero ignoro si podría prescindir siempre de aquel suntuoso lujo, de aquel exceso de juventud y de belleza, de aquel juego de tantos elementos. Sin embargo, no consigo allí encontrar mucha satisfacción pues me paseo tan sólo entre posibilidades. No es una sola belleza la que allí me encanta, sino el conjunto. Ante mí se mueve una imagen de ensueño; todas aquellas muchachas se confunden en ese conjunto y todos sus movimientos tienden hacia un solo fin, buscan la estabilidad en una imagen única que nunca llegará realmente a surgir.

Me encontraba en la calle entre la puerta del norte y la del oeste: serían cosa de las seis y media. El sol había perdido su fuerza y casi ni un recuerdo del día brillaba desde el fondo de suave rojo de la puesta del astro, que todo lo teñía de púrpura. La naturaleza respiraba con mayor libertad. El lago aparecía terso como un cristal y las casas del dique se reflejaban en las aguas que surcaban largas franjas de un color gris metálico. Tanto el sendero como los edificios de la otra orilla se dibujaban dulcemente bajo los rayos solares. El purísimo cielo tan sólo mostraba aquí y allá algunas nubes, cuya imagen corría y desaparecía en la luminosa frente del agua. No se movía ni una hoja.

Y ella se me apareció. Los ojos no me engañaron, pero aunque desde mucho tiempo antes me estaba preparando para esa hora, me asaltó una indefinida inquietud, tan fuerte que no logré dominarla. Tenía en mí la sensación de un subir y un caer, parecida al canto de la alondra que sube y cae en los campos. Estaba sola: no recuerdo cómo estaba vestida, aunque tengo presente su figura. Estaba sola: y parecía estar a solas con sus pensamientos, no consigo misma. No pensaba pero sus pensamientos debieron hacer que naciera en su alma alguna imagen deseada, llena de presentimiento y tan misteriosa como un suspiro de niña: Estaba en la estación más hermosa de su existencia.

Una muchacha, en ciertos aspectos, no se desarrolla igual que un muchacho: no crece, sino que nace ya hecha. El muchacho inicia en seguida su desarrollo y necesita largo tiempo para cumplirlo; la muchacha tiene un nacimiento largo, pero nace ya hecha. En esto reside su infinita riqueza; en el momento en que nace, ya ha crecido pero ese instante de nacer tan sólo llega tarde. Por ese motivo nace dos veces; la segunda, cuando se casa o, mejor dicho, en ese momento acaba de nacer y tan sólo en ese instante ha nacido por completo. Así, no sólo a Minerva le fue concedido salir perfecta de la frente de Júpiter, no sólo a Venus se le permitió alzarse del mar en plenitud de sus gracias, sino que del mismo modo lo mismo le ocurre a toda muchacha cuya femineidad no haya echado a perder eso que se da en llamar educación. Se despiertan de una sola vez, no por grados; y, en cambio, sueña más tiempo, si es que los hombres no se muestran irrazonables y no la despiertan demasiado pronto. Tal estado de ensueño, para una muchacha, es una riqueza infinita.

Estaba muy ocupada, no consigo misma, sino en sí misma, y de este trabajo interior de su alma debía surgir una infinita paz, una profunda quietud en sí misma. Esa es la inmensa riqueza de una joven y aquel que sabe apoderarse de ella también se enriquece. Es rica a causa de todo aquello que ignora que posee, es rica y ella misma es un tesoro.

La envolvía una sosegada paz y su rostro se iluminaba con una sombra de melancolía. Me parecía tan leve, que hubiera podido levantarla con una mirada, leve como Psiquis, a quien, según dicen, podían llevar los Genios, pero aún más leve puesto que se llevaba a sí misma.

Aun cuando los Padres discuten la Asunción de la Virgen, no lo estimo inconcebible; pero la vaporosa ligereza de una muchacha supera los límites de lo concebible y se mofa de la ley de gravedad.

Ella no contemplaba nada y, por ese motivo, no se creía contemplada. Yo la seguía desde lejos, devorándola con la vista. Andaba lentamente y no apresuraba el paso como para perturbar su paz o los aspectos de la naturaleza en derredor.

Un niño estaba sentado en la orilla del lago, pescando. Ella se detuvo para mirarse en el espejo de las aguas y contemplar el corcho del sedal. Aunque anduvo muy lentamente hasta allí, debió de sentir calor y se quitó la bufanda que llevaba bajo el chal, alrededor del cuello.

El niño, que, quizá, no tuviera muchos deseos de que le mirasen, echó una ojeada en torno suyo con aire de aburrimiento y, al hacerlo, mostró un aspecto tan curioso que ella se echó a reír. ¡Y con qué jovialidad reía! Sus ojos eran grandes y luminosos; tenían un oscuro resplandor y dejaban entrever su profundidad, sin dejarse penetrar; eran puros y llenos de inocencia, dulces y serenos, vívidos en su sonrisa. La nariz, finamente encorvada, se volvía más breve y audaz vista de perfil.

Siguió su camino hacia la puerta del oeste. Yo la seguí. Por fortuna, había mucha gente que paseaba por la calle, de modo que hablando ahora con uno y luego con otro, le permitía ganar un poco de terreno para recobrarlo en seguida; de este modo no necesitaba mantenerme siempre a la misma distancia.

¡Con cuánto placer hubiera deseado verla más de cerca sin ser visto! Desde la casa de alguna gente conocida que diera sobre esa calle, no me hubiera sido difícil lograr mi propósito; me bastaba con hacerles una visita. Rápidamente, me adelanté a ella como si ni siquiera la hubiese visto. Logré precederla de este modo durante un largo trecho, entré a visitar a la familia amiga, y después de los saludos, me acerqué con simulada indiferencia a la ventana. Ella pasó y pude mirarla a mi gusto, a pesar de entretenerme con la gente que detrás de mí estaba tomando el té en la sala.

Su manera de andar me demostró que aún no ha tomado lecciones de danza, pues avanzaba llena de altivez y de natural nobleza, sin poner atención en sí misma. Desde la ventana yo no podía ver toda la calle, sino tan sólo un espacio desdichadamente breve y, más allá, un puente sobre el lago. Allí la divisé, sorprendida, al cabo de un rato. ¿Es que, quizá, vive allí fuera, en el campo? Puede que su familia pase el verano fuera de la ciudad.

Al verla en el extremo del puente me pareció descubrir un sino premonitorio de que ella iba a desaparecer de nuevo de mi vida. Pero, en cambio, vuelvo a verla muy cerca; pasa por delante de la casa donde estoy; en seguida echo mano a mi sombrero, para correr tras ella, para saber dónde vive... pero en mi apresuramiento tropiezo con una señora que me estaba ofreciendo el té. Oigo un grito de espanto, pero en ese momento sólo pienso en el modo de liberarme; y para justificar con una broma mi retirada, digo con voz patética:

—Igual que Caín, quiero huir del lugar en el que vertí este té.

Pero, como si todo se conjurase contra mí, al dueño de la casa se le ocurre tomar en serio mis palabras y el buen hombre declara que no va a dejarme salir si antes no me tomo el té, y, a modo de expiación por mi falta, no lo sirvo a las señoras presentes. Yo sabía muy bien que esto me correspondía por deber de buena educación y que, por gusto o a la fuerza, debía quedarme.

Ella ha desaparecido...

16 de marzo

¡Qué hermoso es estar enamorado y qué extraño resulta saberlo! Esa es la diferencia. Podría incluso enloquecer pensando que la he perdido por segunda vez y, pese a todo, experimento una sensación de alegría. Su imagen ondea indefinida ante mi espíritu. Y la veo tanto en su aspecto ideal como en su figura real, que es lo encantador. No soy impaciente: ella vive en la ciudad y esto me basta. Su verdadera imagen deberá mostrárseme. Todo debe gozarse a largos intervalos...

¿Podría no sentirme tranquilo? Los dioses, sin duda, deben quererme, pues me concedieron la rara felicidad de estar enamorado una vez más. Ni el arte ni la doctrina podrían conseguirme ese divino don que es la beatitud. Deseo ver durante cuánto tiempo puede el amor mantenerme entre sus garras. Pues amo este amor con una ternura que ni siquiera experimenté por mi primer cariño. El azar propicio aparece tan rara vez que cuando se presenta o se encuentra, hay que saberlo agarrar con toda la fuerza, el seducir a una muchacha no es un arte, pero sí lo es, ¡y cómo!, saber encontrar a una muchacha que merezca ser seducida.

El amor tiene muchos misterios, y misterio, quizá el mayor, es el primer enamoramiento. La mayoría de los hombres se lanzan por el camino del amor como enloquecidos, se comprometen o hacen otras locuras similares y de este modo logran echarlo todo a perder en un solo instante, sin ver claro en su mente ni lo que han conquistado ni lo que han perdido.

Por dos veces se me apareció y luego volvió a desaparecer: con seguridad, volverá a aparecérseme más a menudo. Cuando José interpretó el sueño del faraón, agregó que «al repetirse una vez más ese sueño, era evidente que Dios lo elevaría muy pronto y sin la menor duda».

Sería interesante saber en todo lo posible y de antemano las fuerzas que van a determinar nuestra vida futura. Mi muchacha lleva ahora una existencia de calma y paz; nada sabe en absoluto de mi presencia, de lo que pasa en mí, que con tanta seguridad siento que podré dominar su porvenir. Pues en este momento, mi alma exige la realización del sueño, desea con mayor intensidad hechos reales: anhelo que a diario se hace más fuerte. Cuando una muchacha no despierta en nosotros, desde la primera mirada, una impresión tan viva que cree una imagen ideal de sí misma, generalmente no es digna de que nos tomemos el trabajo de buscarla en la realidad. Pero si despierta en nosotros esa imagen, pese a nuestra experiencia, nos sentimos dominados y vencidos por una desconocida fuerza.

Ahora bien, yo aconsejo a quien no tiene segura ni la mano ni los ojos y, como consecuencia, la victoria, que intente sus maniobras amorosas en el primer estadio de la pasión, pues entonces, a la par que está dominado por fuerzas sobrenaturales, también las posee dentro de sí mismo y este dominio nace de una singular mezcla de simpatía y egoísmo.

Pero en tal estado, le faltará un goce: el goce de la situación, pues el mismo resulta sometido, se sumerge y se oculta en ella. Obtener lo más hermoso es siempre difícil; lograr lo interesante, en cambio, es sencillo. Pero siempre es conveniente acercarse lo más posible; ése es el verdadero deleite y no llego a comprender qué goce buscan los otros en su lugar. La simple posesión es algo vulgar y resultan mezquinos los recursos de que se sirven esos enamorados: no vacilan en emplear el dinero, el poder, la influencia ajena y aun los narcóticos. ¿Qué placer puede brindar un amor si no contiene en sí mismo el abandono absoluto de una de las partes? Siempre es preciso el espíritu y el espíritu falta comúnmente a esa clase de enamorados.

19 de mayo

¡Se llama Cordelia, Cordelia! Es un lindo nombre, lo que también tiene mucha importancia, pues a menudo representa una desagradable discordancia tener que pronunciar una fea denominación tras haber dicho las palabras más tiernas.

La reconocí desde lejos. Se encontraba en la acera izquierda con otras dos muchachas. Por su modo de andar, se comprendía que pronto iba a detenerse. En una esquina de la calle, me encontraba yo estudiando un cartel, sin despegar un momento los ojos de mi bella desconocida. Las muchachas se despidieron; las otras dos, que, al parecer, la habían acompañado, se fueron en dirección opuesta. Al cabo de pocos pasos, una de ellas volvió corriendo y la llamó en voz alta, por lo que también yo la oí:

—Cordelia, Cordelia.

La tercera las alcanzó y comenzaron a hablar en voz baja, como en un consejo secreto.

Inútilmente agudicé el oído, para escuchar algo.

Las muchachas estallaron en carcajadas y las tres se encaminaron en la dirección que seguían las dos que se alejaban. Las seguí hasta que llegaron a una casa de la orilla. Esperé durante un rato, confiando en que Cordelia volvería a salir sola, pero no fue así.

¡Cordelia! ¡Un nombre maravilloso, en realidad! También se llamaba así la tercera hija del rey Lear, aquella hermosa virgen cuyo corazón no estaba en los labios, porque sus labios eran mudos, aunque el corazón palpitase con tanto ardor. Así es también mi Cordelia; y tengo la certeza de que se le parece, aunque su corazón deba estar en los labios, pero más que en las palabras en los besos. Labios suavísimos, llenos de sangre en flor: ¡jamás vi otros más bellos!

¡Ahora estoy verdaderamente enamorado! Y lo advierto así mismo porque siento todas las cosas colmadas de infinito misterio. Todo amor, incluido el infiel, está lleno de misterio, cuando se sabe conservar en él un indispensable *quantum* estético. Jamás se me ocurrió confiar mis aventuras de amor ni siquiera a mis amigos más íntimos, ni en la más mínima parte...

Para mí casi fue una delicia ignorar el lugar donde vive y, sin embargo, conocer un sitio donde va a menudo. Puede que de este modo se me acerque más a mi propósito. Sin que ella lo note, puedo realizar mis observaciones y, más tarde, no me será difícil hallar el modo de que me presenten a su familia. Pero aunque esto representara dificultades, acepto las dificultades. Cuando realizo, lo hago *con amor* y, por eso, también amor con AMOR.

20 de mayo

Hoy he ido a conocer la casa en la que ella desapareció.

Vive allí una viuda con tres hijas excelentes. De ellas puedo saberlo todo o, por lo menos, todo lo que de ellas se sabe. Sin embargo, me resulta difícil comprender las cosas, pues esa buena gente tiene la costumbre de hablar todos al mismo tiempo.

Se llama Cordelia Wahl, es hija de un capitán de la marina fallecido hace algunos años y que también ha perdido a su madre. El capitán era un hombre muy duro y severo. Cordelia vive ahora con una tía paterna, que debe parecerse mucho al hermano fallecido, pero que, sin embargo, debe ser una mujer única.

Todo resulta hermoso y muy apropiado; pero no saben nada más, pues jamás van a casa de la muchacha; es Cordelia la que con frecuencia va a la suya. Juntas aprenden a guisar en las cocinas del rey. Desde allí, Cordelia va a casa de ellas, por lo general a primeras horas de la tarde, algunas veces también por la mañana, pero nunca por la noche. Viven muy retiradas.

Y ahí concluye la historia, que no me muestra un camino por el que llegar a casa de Cordelia.

Ella ya conoce algo de los sufrimientos de vivir y no ignora los puntos oscuros de la vida. Pero sus recuerdos pertenecen a una era anterior, son como un cielo bajo el que viviera, sin mirarlo. Y así debe ser: por eso pudo conservar íntegra su femineidad. Por otra parte, tendrá importancia para su posterior educación el poder evocar en el instante oportuno esos recuerdos del pasado.

La hora del dolor puede volvernos altivos, si es que no nos quiebra: en ella, nada se ha quebrado...

21 de mayo

Cordelia vive en los bastiones. Esos lugares no me son favorables; nada hay enfrente, donde uno puede trabar amistades y allí no es posible observar cómodamente, sin llamar la atención. El bastión es un sitio poco a propósito, pues se pasa desapercibido. De descender hasta la calle, no es posible acercarse al bastión, pues nadie pasa por allí y no se puede pasar sin que lo noten; pero, en cambio, si, según costumbre, se va por el lado de las casas, no se ve nada. Desde la calle, se advierten las ventanas que dan al patio, pues la casa no las tiene en la fachada. Quizás ella tenga allí su dormitorio.

22 de mayo

Hoy, por primera vez, la he visto en casa de la señora Jansen.

Me presentaron a Cordelia pero me pareció que no me prestaba mucha atención. Para poderla observar con mayor atención, procuré conservar la calma cuanto me fue posible.

Cordelia se quedó un momento pues sólo había venido en busca de las Jansen, para irse con ellas. Mientras éstas se vestían, quedamos solos; yo le dirigí algunas palabras con una fría tranquilidad de ánimo, casi ofensiva y ella me respondió con una gentileza que consideré inmerecida. Luego, se fueron.

Pude haberme ofrecido para acompañarlas, pero no me agradaba aparecer en seguida como caballero escolta, pues comprendí que bajo ese aspecto nada hubiese ganado.

Una vez se hubieron ido, decidí marcharme yo también y tomé una calle distinta, pero en la misma dirección y con paso mucho más rápido que las muchachas. De esta manera, cuando doblaron la calle del Rey, pasé ante ellas de prisa y sin saludarlas, lo que las debió asombrar.

23 de mayo

He de conseguir algún medio para poder entrar en su casa: no tengo más remedio y con seguridad que será necesario maniobrar mucho para vencer los obstáculos, que no son pocos.

Jamás conocí a una familia que viva tan retirada. Sólo la forman ella y su tía; Cordelia no tiene hermanos, ni primos, ni parientes lejanos con quienes relacionarse. ¡Es terrible vivir de esta forma tan aislada! La pobrecilla no tiene modo de conocer el mundo.

No obstante, este retiro sirve para guardarse de los ladronzuelos de los tesoros del amor; en una casa en la que entra y sale mucha gente, la ocasión hace al ladrón... aunque, por lo general, NO HAY MUCHO QUE LLEVARSE *de las muchachas excesivamente acostumbradas a la vida mun-*

dana. En tales corazones, a los dieciséis años hay inscritos tantos otros corazones que a mí no me importa lo más mínimo figurar o no en su número. Jamás grabé mi nombre ni mis iniciales siquiera en los cristales de una ventana, de un árbol o en un banco del paseo público...

27 de mayo

Cada vez estoy más convencido de que ella vive en una absoluta soledad.

Un ser humano no debe vivir así, especialmente si es joven, pues su evolución y su desarrollo dependen casi siempre de una meditación interior de los hechos exteriores y, por tanto, ha de estar en relación con otras personas.

No me gustan las jóvenes que se consideran interesantes, pues sólo se llega a serlo tras el estudio de uno mismo, igual que en lo interesante se exhibe siempre la persona del artista. Una señora que pretenda gustar por ser interesante, ha de comenzar por agradarse a sí misma. Esto no es bonito: constituye una de las desventajas que la estética puede reprochar a la coquetería.

Sin embargo, hay una especie de coquetería impropia... y entonces el caso es distinto: comprendo la coquetería que nace de un modo espontáneo, como la timidez virginal de una muchacha. En ocasiones, gusta ciertamente una muchacha interesante, pero carece de verdadera femineidad, como carecen de virilidad los hombres a quienes esa clase de muchachas gustan.

No obstante, la mujer pertenece al sexo débil; permanecer sola durante la juventud es para ella mucho más importante que para un hombre: la mujer ha de sentirse cómoda en sí misma, aunque sea una ilusión. La naturaleza dotó de modo espléndido a la mujer, al darle esa fuerza.

Es precisamente la quietud en la ilusión lo que logra que la mujer quede apartada, retirada.

Con frecuencia se me ocurrió pensar en la razón de que sean tan perjudiciales las relaciones demasiado frecuentes entre muchachas; y me parece que esa razón está en que tales relaciones llegan a destruir la ilusión, sin que la expliquen. El más hondo destino de la mujer es el ser compañera del hombre: en cambio, si se acostumbra a estar demasiado tiempo con personas del mismo sexo, se convierte en dama de compañía.

Si tuviese que imaginarme a la doncella ideal, la colocaría siempre sola en el mundo: ante todo, no debería tener amigas. Es cierto que las Gracias fueron tres, pero jamás se las pinta hablando entre sí; constituyen una trinidad silenciosa, una hermosa unidad femenina.

Iba a ser necesario fabricar jaulas para custodiar a tales jóvenes, si el aislamiento no resultara igualmente perjudicial. Una muchacha debe tener libertad, pero no las ocasiones para disponer de ella. Esto la hace mucho más hermosa y la preserva del peligro de volverse «interesante»... A las muchachas que frecuentan demasiado a otras compañeras, se les da inútilmente el velo de virgen o de esposa. En cambio, aun sin velo, una muchacha de veras inocente parece velada en el sentido más hondo y solemne de la palabra.

Cordelia ha sido verdaderamente educada y por ese motivo siento gran estimación por sus padres, aunque hayan muerto y por eso estoy tan agradecido a su tía, que desearía darle un abrazo.

Ella jamás conoció los placeres del mundo y, por tanto, en su alma no hay el menor vestigio de aburrimiento. Es altiva y jamás pregunta las cosas que despiertan la curiosidad de otras muchachas; a diferencia de las demás, no atribuye la menor importancia a los adornos del vestir.

No le falta espíritu crítico, pero en un temperamento como el suyo, tan inclinado al ensueño, esto resulta un contrapeso necesario. Su universo es la fantasía.

En unas manos ineptas, Cordelia perdería su feminei-dad, precisamente por ser tan auténticamente femenina.

Nuestros caminos coinciden en todas partes.

Hoy la vi tres veces: ahora ya no se me ocultan ni siquiera sus más breves salidas. Pero no aprovecho la oportunidad para encontrarme con ella. Aprovecho el tiempo. He esperado horas y más horas para tener algún contacto con su vida exterior, no para encontrarla.

Cuando sé que va a casa de la señora Jansen, no me agrada coincidir allí con ella, siempre que no deba hacer alguna observación particularísima. Prefiero ir allí un rato antes y procuro encontrarla en la puerta o por la escalera, de modo que mientras ella llega yo me voy y paso por su lado con la mayor indiferencia. Esta es la primera trampa en la que debe caer.

Por la calle, jamás le dirijo la palabra: cambio un saludo con ella y nada más.

Con seguridad, nuestros frecuentes encuentros le habrán llamado la atención; quizás ahora comienza a advertir la nueva estrella que ha aparecido en su horizonte y que gravita en la órbita de su vida con fuerza subversiva, pero no tiene la menor idea de las leyes del movimiento. Frecuentemente se siente tentada de mirar en torno suyo para ver el punto al que marcha la nueva estrella y jamás piensa que sea ella misma ese punto. Puede que también a ella se le ocurra creer lo que creen tantas de las personas que me rodean, es decir, que poseo una gran cantidad de comercios, que siempre estoy en movimiento y que sigo la frase de Fígaro:

«Una, dos, tres, cuatro intrigas a la vez, ese es mi deleite.»

Antes de iniciar o de preparar mi ataque, es preciso que tenga un perfecto conocimiento de su carácter. Casi siempre se pretende gozar desaprensivamente de una muchacha igual que de una copa de champaña en el momento en que hierve la espuma. No niego que en la mayoría de veces es muy agradable y es lo más que puede obtenerse de ciertas muchachas; en mi caso, sin embargo, podré seguramente alcanzar una meta más alta.

Antes que nada, una muchacha debe ser conducida al punto en que no conozca más que una tarea: la de abandonarse por completo al amado, igual que si debiera mendigar con profunda beatitud ese favor. Sólo entonces se pueden obtener de ella los grandes y verdaderos placeres. Pero a eso tan sólo se llega a lo largo de una elaboración espiritual.

¡Cordelia! ¡Qué nombre tan maravilloso! En casa practico pronunciarlo y repito con frecuencia, hora tras hora, seguidamente:

—¡Oh, Cordelia! ¡Cordelia, mi Cordelia, mi Cordelia!

Y no puedo proceder de otro modo. No puedo evitar sonreírme cuando pienso la habilidad con la que sé pronunciar su nombre, ese nombre, en un momento decisivo.

Para todo es preciso una preparación, todo ha de marchar en orden. No asombra que el poeta describa a los amantes no ya en el instante en que estalla la pasión, pues muchos no saben llegar más lejos, sino cuando salen del agua lustral, tras haberse sumergido en el mar del amor, abandonando la vieja personalidad; sólo entonces, por vez primera, se reconocen como conocidos *ab antiquo*, aunque su vida haya comenzado apenas en ese instante.

Este es el momento más hermoso en la vida de una muchacha; y aquel que quiera gozarlo, debe colocarse cuanto más posible por encima de la situación, para no ser sólo neófito, sino también el sacerdote. Un relámpago de ironía convierte el segundo de estos momentos en uno de los más interesantes, porque es como desnudarse espiritualmente. Es preciso tener en sí mismo toda la necesaria poesía para no perturbar esa desnudez, pero el ojo irónico debe estar siempre alerta.

2 de junio

Hace mucho que advertí que ella es altiva. Habla poco cuando está con las tres Jansen, pues su charla le aburre, como puede advertirse por cierta sonrisa de sus labios. Y yo reflexiono acerca de esta sonrisa. En cambio, en alguna otra ocasión, con gran sorpresa de las Jansen, puede resultar infantilmente desenfrenada. No me extraña que le moleste el alboroto de los gansos cuando recuerdo lo que me contaron de su infancia. Con su padre y su hermano, Cordelia se encontró tan sólo en momentos muy serios de su existencia. Sus padres no tuvieron una vida dichosa y a ella no le sonrió todo aquello que siempre sonríe a una jovencita. Puede que ni siquiera sepa lo que es la adolescencia. Puede que, en ocasiones, desee ser hombre.

Y ella tiene poesía, alma y pasión: en fin, todas las cosas del ser, pero no subjetivamente reflejadas. Un azar me convenció de eso subjetivamente. Cordelia no toca ningún instrumento: me contó Fermina Jansen que eso iba a chocar con los principios de la tía. ¡Qué lástima! No hay mejor recurso que la música, creo yo, para entablar amistad con una muchacha.

Hoy fui a casa de la señora Jansen; dejé entreabierta la puerta, sin llamar, con una audacia muy mía, que ya me ha prestado excelentes servicios y que en ocasiones sé justificar con cualquier absurdo. Ella se encontraba allí sola, sentada ante el piano y tocaba una melodía sueca, con una gran turbación pintada en el rostro, como si estuviera cometiendo una mala acción.

Perdía la paciencia a menudo y se interrumpía, para luego comenzar con tacto más suave. Y sus dedos fluían y corrían a través de las notas estremecidas de una pasión tan intensa que en mi mente evocaron el recuerdo de la virgen de Mittiel, a la que fluía la leche de los pechos cuando tocaba el arpa de oro.

Cerré la puerta y continué escuchando desde fuera. Hubiera podido precipitarme en la habitación y aprovechar el momento pero éste hubiera sido el proceder de un insensato. Los recuerdos, con el tiempo, se vuelven un precioso tema de conversación y en su alma causará más efecto aquello que conmovió tan profundamente su sentir.

Con frecuencia encontramos en un libro una florecilla seca. Ciertamente, debió ser un momento muy dulce aquel que nos llevó a colocar allí esa flor, pero el recuerdo es aún más dulce.

Puede que Cordelia no desee que se sepa que sabe tocar o quizá sólo sabe tocar esa breve aria sueca, que para ella quizá tenga un sentido, un especial interés. ¿Quién sabe?

Precisamente por eso el acontecimiento de hoy tiene gran importancia... Algún día, cuando tenga mayor confianza con ella, el veneno dejará de producir efecto...

3 de junio

Para mí, Cordelia es aún un misterio; por eso me mantengo tan quieto, como un soldado que está inmóvil, tendido en el suelo, para oír el mínimo ruido del enemigo que se acerca. Aún no se puede decir propiamente que ella advierte mi presencia o que nuestras mutuas relaciones se hallan en un estado negativo, pues no existe entre nosotros una verdadera relación. Hasta hoy no me he atrevido a comprobarlo.

En las novelas suele leerse: «Verla y amarla fue todo uno». Podría ser verdad, si el amor no poseyera su propia dialéctica. Pero en los novelas no se aprende acerca del verdadero fuego del amor, sino tan sólo mentiras, que sirven para facilitarle la tarea al autor.

Si vuelvo a pensar en la impresión recibida de aquello que vi y oí hasta ahora, en la impresión que causó en mí el primer encuentro, la imagen que me formé de ella se modifica con ventajas por ambas partes.

No ocurre a diario el encontrar a una muchacha que vive tan íntimamente sola o que está tan concentrada en sí misma. Después de examinarla con la más severa crítica la encontré encantadora. Y fue, sin embargo, un instante pasajero que desaparece como el día que ha transcurrido. Aún no pude imaginarla en el ambiente en que vive, ni jamás hubiera pensado que pudiera sentirse tan segura y espontáneamente dominadora de las tormentas de la vida.

Pero ahora desearía conocer mejor sus sentimientos. Desde luego, jamás estuvo enamorada, porque su espíritu corre rutas demasiado veladas y ella es muy distinta de aquellas falsas vírgenes o semidoncellas que se han acostumbrado desde hace tiempo a estar entre los brazos de un amante.

Los seres con los que hasta ahora le ha enfrentado la vida no lograron despertar en su alma la incertidumbre entre sueño y realidad. Y todavía se alimenta con la divina ambrosía del ideal. Pero el ideal que brilla en su alma no es el de ser una pastorcilla de Arcadia o una heroína de novela, sino preferentemente algo parecido a una Juana de Arco.

Continúa en pie la pregunta: ¿Es su femineidad tan fuerte como para que se la refleje o debe gozarse tan sólo como belleza y donaire? ¿Es posible tender más el arco? Es mucho, sin embargo, encontrar una virginidad tan pura e inmediata pero también se logra lo interesante si esa virginidad está en tal estado que con ella se puedan intentar transformaciones. El mejor recurso para lograrlo es colocarle al lado a un petimetre apropiado para el caso. Es una superstición imaginar que eso puede perjudicarla.

Una muchacha es como una planta fina y delicada, cuya existencia tiene la gracia como hermosísima flor. Sería preferible que nada hubiera oído del amor, pero para mis propósitos no vacilaría en proporcionarle un adorador a Cordelia, si es que no lo tiene ya. Pero de nada iba a servirme si se tratase de un ser grotesco.

Ha de ser un hombre digno de respeto, un carácter amable, pero insuficiente para las exigencias de la pasión de Cordelia. Ella acabaría por sentirse superior, comenzaría por despreciar el amor e incluso pondría en duda su existencia, pues ante sus ojos resplandece un ideal que no se puede encontrar en la vida.

«¿Esto se llama amor? —diría—. Entonces en el amor nada hay que sea grande.»

Y su pasión la volvería orgullosa y el orgullo la haría interesante. Por tanto, estaría más cerca que nunca de la caída y eso la haría aún más interesante.

Lo mejor será que ante todo intente introducirme en el círculo de sus conocidos; puede que entre ellos encuentre a un enamorado tal como yo lo busco. Ella no encontrará esa oportunidad en su casa, pues casi nadie la frecuenta, pero como ella tiene que salir de casa, no faltará la adecuada ocasión...

Me pondré a buscar a ese enamorado... No debe ser un héroe lleno de fuego que en seguida pretenda lanzarse al asalto: tan sólo saber introducirse en la casa enclaustrada como un ladrón, a hurtadillas.

El principio estratégico que será ley de todo movimiento en el combate, me hace imprescindible ese proceder: es decir, que yo sólo debo establecer contacto con ella en una situación interesante. Y lo interesante, en todos sus aspectos, deberá ser el terreno en que se ha de librar esa batalla. Si no me equivoco, su temperamento está hecho de tal modo que lo que yo pretendo es justamente lo que ella pretende. Es indispensable intuir en cada instante lo que cada uno puede dar y, por tanto, pretender.

Mis casos de amor tienen para mí algo real y constituyen por tal motivo una época y un período de cultura en mi vida que me he prefijado, de modo que con ello se vincula casi siempre la perfección alcanzada en un arte elegido, deliberado. Así fue como por mi primer amor aprendí el baile y como, por una pequeña bailarina, estudié francés. Pero en aquel tiempo, yo, igual que todos los tontos, frecuentaba el mercado y a menudo me engañaban. Ahora soy yo quien exige y eleva sus pretensiones.

Quizás ella haya ya experimentado por completo un aspecto de la vida interesante; por lo menos, puede creerse por su solitario tenor de vida. Ahora es preciso buscar en el otro aspecto algo que en el primer momento no parezca demasiado interesante pero que, por esta misma causa, lo sea más tarde. Para eso elijo algo que no sea poético, sino prosaico. Al principio, su femineidad está neutralizada a través de una prosaica inteligencia y de la ironía, y no directa, sino indirectamente, sobre todo a través de lo neutral absoluto: el espíritu. De ese modo, ella casi llega a perder su femineidad, pero en esa situación no puede permanecer sola y, entonces, se echa en mis brazos: pero no en brazos de un enamorado, sino como de un ser aún totalmente neutral. En ese momento, se despierta de nuevo su femineidad, que, por mediación mía, ha de elevarse hasta el punto máximo de tensión y chocar contra esta o aquella autoridad, alcanzando de este modo una altura casi sobrehumana. Cordelia, entonces, me pertenecerá con todo el ardor de su pasión.

5 de junio

No tuve que ir muy lejos para hallar lo que estaba buscando. Cordelia frecuentaba la casa de Baseter, un comerciante al por mayor. Allí se me apareció Eduard, el hijo del mercader, tal como si lo hubiese llamado: está ciego de amor por ella; no es preciso ser un lince para darse cuenta.

El joven trabaja en las oficinas del padre y es apuesto, simpático y algo tímido, lo que, según parece, no le perjudica a los ojos de la muchacha.

El pobre Eduard no sabe en absoluto qué hacer con su gran amor. Cuando, por las noches, Cordelia llega a su casa, él se viste solemnemente de gala en honor suyo, por ella tan sólo se pone su nuevo traje negro y por ella luce sus puños de camisa relucientes. Y en medio de la acostumbrada sociedad, reunida como todos los días en su salón, con ese extraordinario aparato se vuelve casi ridículo, lo que le confunde increíblemente.

De tratarse de un caso fingido, Eduard podría convertirse en un rival desde luego peligroso. Se necesita, sin duda, un arte refinadísimo para sacar partido del extravío, pero quien lo posee puede lograr muchísimo con este recurso: de este modo pude engañar con frecuencia a varias muchachas. Por lo general, ellas hablan con desdén de los hombres tímidos, pero, en secreto, los aman. Un ligero extravío halaga la vanidad de una adolescente, que entonces se siente la más fuerte: constituye una especie de homenaje o de tributo que se les rinde.

Pero, tras haberla adormecido de este modo en la ilusión, hay que mostrarles en una oportunidad, en que podría imaginar vernos morir confundidos, que, en cambio, se está muy lejos de eso y que se sabe, ciertamente, encontrar el camino.

Con la timidez, se olvida la importancia de ser hombre y, por lo mismo, esto resulta un excelente medio negativo de neutralizar las distancias entre los dos sexos. Pero cuando una muchacha advierte que todo ha sido ficción, entonces se sonroja consigo misma; pero al mismo tiempo está satisfecha de haber dado este paso. Ocurre más o menos lo mismo cuando nos damos cuenta de que hemos estado tratando durante demasiado tiempo como a un niño a quien ya es adolescente.

7 de junio

¿Somos amigos Eduard y yo? Sí, existe entre nosotros una verdadera amistad, como no se vio otra igual desde las mejores épocas de Grecia. Muy pronto nos hicimos íntimos y él no tardó en confiarme sus secretos. Pues es justamente en el momento en que comienzan las confidencias cuando se escapan los mayores secretos.

¡Pobre muchacho! ¡Hace ya mucho tiempo que languidece por ella! Cada vez que Cordelia visita la casa se viste de gran gala y por las noches la acompaña hasta donde vive la tía; el corazón le late en el pecho con la fuerza de un martillo, al pensar que el brazo de ella descansa en su brazo: caminan juntos y juntos van mirando las estrellas; él toca el timbre en la puerta, ella desaparece, él se desespera, pero sigue esperando tiempos mejores. Jamás halló el valor necesario para ir a visitarla a casa de la tía, aunque las circunstancias no pueden serle más favorables.

Aunque no puedo dejar de reírme de Eduard, veo en su pueril proceder algo hermoso. Conozco muy bien las distintas etapas del amor, pero, sin embargo, jamás experimenté una angustia tan palpitante como para perder el dominio de mí mismo.

Y no es que esa sensación me resulte desconocida, sino que en mí obra de forma distinta, porque, en cambio, me fortalece. ¿Quizás es que hasta hoy no estuve realmente enamorado? Puede ser.

Di algunos consejos a Eduard y le dije que se abandonara por completo a mi amistad. Mañana dará un paso decisivo: ha de ir a casa de Cordelia e invitarla. Me pidió que le acompañase; yo mismo le empujé a que tomara esa desesperada decisión y ahora me muestro muy dispuesto a secundar sus deseos.

Esto, a Eduard, le parece una extraordinaria prueba de amistad. La ocasión es exactamente la que yo deseaba. Pero si Cordelia llega a tener la más mínima duda acerca de mi conducta, he de saber cómo desorientarla totalmente.

Si anteriormente tuve necesidad de prepararme para una conversación, ahora debo hacerlo para entretener a la tía de forma que se interese por completo. A Eduard le prometí ocultar de ese modo sus maniobras de enamorado con Cordelia. Antes, la tía había vivido en el campo; tuve que estudiar mucha agronomía pues es ésta su mayor pasión. Y de este modo conquisté sin discusiones su buena voluntad: en mí, ella ve a un hombre maduro con el que se puede hablar y que nada tiene en común con los vulgares pisaverdes.

Cordelia tiene una femineidad demasiado inocente para exigir que la corteje todo el mundo, pero no puede dejar de considerar mi comportamiento como irritante. Cuando estamos sentados en la suave intimidad del saloncito y ella, lo mismo que un ángel, ejerce su fascinación sobre todos y sobre todo cuanto la rodea, me revuelvo impaciente dentro de mí mismo, a punto de salir de mi cueva; pues estoy al acecho, como en una guardia, mientras que a los ojos de la gente permanezco muy tranquilo en mi lugar. En esos momentos, siento la tentación de tomarla de la mano, de estrecharla entre mis brazos, de asegurarme a esa amada criatura para que nadie pueda quitármela.

En ocasiones, cuando por la noche Eduard y yo la dejamos, y Cordelia, al saludarme, me tiende la mano que yo retengo entre las mías y no quisiera dejar jamás, nunca más... Paciencia..., *quod antea fuit impetus nunc ratio est*[1], ella deberá caer de otro modo en mis redes... y entonces, de improviso, dejaré libre curso a toda la energía de mi amor. ¡Y tú, Cordelia, me deberás gratitud si la excesiva prisa y los intempestivos anticipos no han echado a perder este momento! Cuanto más tienda yo el arco del amor, más honda será la herida. Lo mismo que un arquero, estiro la cuerda, unas veces más, otras menos, y escucho su canto que es mi victoriosa trova, pero no afino la puntería ni coloco la flecha para lanzarla.

Cuando un reducido grupo de personas suele reunirse a menudo en un mismo salón, nace casi una tradición por la cual cada uno llega a tener su lugar fijo. Lo mismo ocurre en casa de las Wahl. Por la tarde tomamos té.

Luego, la tía se sienta en su mesita de labor y Cordelia,

1. Lo que antes fue impulso, ahora es razón. (*N. del T.*)

seguida por Eduard, se acomoda en el sofá cerca de la mesa; yo sigo a la tía. Eduard trata de susurrar en voz baja y en secreto y, por lo general, lo consigue tan bien que acaba no hablando más. En cambio, yo no tengo secretos para la tía; hablo de los precios del mercado, calculo cuántos litros de leche se necesitan para obtener una libra de manteca, con los promedios de la crema y la dialéctica de la batidora, discursos todos que una jovencita puede escuchar sin perjuicio alguno; en esta edificante conversación se benefician por un igual su alma y su inteligencia...

De espaldas a la mesa de té y a las fantasías de Eduard y de Cordelia, yo «fantaseo» con la tía. ¡Qué grande y qué sabia es la naturaleza en su productividad, qué maravilloso regalo es la manteca, qué esplendoroso el resultado de la naturaleza y el arte! Y así, la tía no escucha lo que dicen Eduard y Cordelia, siempre que hablen; yo, en cambio, sé oír cada palabra de ellos, puedo ver cada movimiento, hasta el más insignificante. Y esto tiene sumo valor para mí: Nunca se sabe qué desesperadas ideas pueden ocurrírsele a un hombre desesperado; en ocasiones, hasta los más tímidos y previsores se atreven, en tal estado, a los más audaces actos.

Aunque en apariencia sólo me ocupo de la tía, conozco lo bastante a Cordelia para saber que ella siempre me siente, de un modo invisible, entre los dos.

El cuadro que formamos los cuatro juntos es verdaderamente asombroso. Me sería fácil encontrar una analogía si quisiera adoptar el papel de Mefistófeles; pero, en cualquier caso, Eduard no es, desde luego, Fausto. Y si yo interpretase el papel de Fausto, Eduard debería ser Mefisfófeles, lo que no le sienta en absoluto. Pero yo no soy un Mefistófeles y aún menos a los ojos de Eduard. Me tiene por el ángel bueno de su amor; y en eso por lo menos, está en lo cierto, pues nadie, como yo, vigila por él sobre este amor.

Le prometí entretener a la tía y cumplo ese honroso cometido con toda seriedad, invirtiendo el tiempo casi por completo en discursos económicos: revisamos la cocina, el sótano y el granero, nos interesamos por los pollos, gallinas, ansarinos, etc.

Todo esto irrita a Cordelia, pues no logra comprender qué es lo que me propongo con ese proceder. Soy y sigo siendo para ella un enigma que no tiene el menor deseo de resolver y que, no obstante, le molesta e incluso le indigna. Se da cuenta de que su tía, una respetable dama, casi se vuelve ridícula. Pero yo voy disponiendo mis cartas con tanta habilidad que les es imposible adivinar mis pensamientos y actuar en contra mía; en ocasiones, llevo el juego tan lejos que Cordelia misma tiene que reírse de su tía. Estos son los estudios que cabe realizar.

Pero yo no la acompaño en la risa; mientras ella tiene que hacerlo, yo me mantengo invariablemente serio. Y de este modo adquiere la primera falsa sabiduría: sonreír con ironía. No obstante, esta sonrisa me alcanza a mí tanto como a la tía, puesto que no sabe aún lo que debe pensar acerca de mí. Puede que sea un joven envejecido antes de tiempo, o... o...

Tras haberse reído de la tía, se enfada consigo misma. Entonces, me vuelvo y mientras continúo muy serio mis disquisiciones agronómicas, Cordelia se burla de mí y de toda la situación.

Nuestras relaciones no se basan en una atracción que se deriva de una inteligencia mutua, sino de una repulsión de lo incomprendido. Mi relación con ella no es en realidad una «relación». Es una comprensión exclusivamente espiritual, que, como es lógico para una muchacha, equivale a nada. A pesar de todo, el cometido del que ahora me valgo tiene ventajas poco comunes.

Un hombre que se presenta en un papel galante, despierta en seguida sospechas y provoca resistencias. Me eximo de todo eso: no hay la menor desconfianza hacia mí, e incluso está la buena disposición para considerarme un respetable joven a quien se puede confiar una muchacha.

Mi método tan sólo tiene el defecto de arrastrarse de forma demasiado lenta, pero únicamente debe emplearse con seres que resulten tan interesantes como para compensar los esfuerzos realizados.

¡Qué fuerza rejuvenecedora la de una muchacha!

Ni los frescos céfiros matutinos, ni los vientos y olas del mar, ni el ardiente vino poseen tanta virtud para rejuvenecer, como ella.

Muy pronto, Cordelia acabará odiándome. Represento perfectamente mi papel de viejo solterón, declaro con frecuencia que mis mayores aspiraciones son sentarme cómodo, dormir en blanda cama, tener un criado fiel y un amigo sincero con el que ir del brazo, etc., etc., y consigo llevar a la tía a este orden de ideas. Es fácil reírse de los ancianos solteros e incluso se les puede compadecer, pero que un joven que no carece de espiritualidad, se comporte de este modo, es algo que irrita a una muchacha. Pues entonces toda la importancia, la belleza y la poesía de su sexo resultan cosas vanas e inútiles.

Así van pasando los días; la veo, sin llegar a hablarle, pues en su presencia sólo hablo con la tía. Pero por la noche, con frecuencia me siento arrastrado a desahogar mi amor. Entonces, envuelto en mi capa, con el sombrero sobre los ojos, voy a la casa donde ella vive. Su dormitorio da sobre el patio, pero nada puede verse desde la calle. Cordelia se queda algunas veces un instante ante la ventana cerrada o bien abre los postigos y contempla las estrellas.

Entretanto, voy vagando como un duende a esas horas de la noche, allí, bajo su ventana. Cordelia está allá arriba sin que nadie la observe, fuera del alcance de aquel por quien menos se creería observada. Y allí abajo yo lo olvido todo, no tengo más planes, ni emboscadas, ni fríos cálculos; me deshago de la razón y mi pecho se ensancha en los profundos suspiros que no puedo contener, porque sufro, sufro profundamente aplastado por el esquema de toda mi vida.

Otros hombres son héroes virtuosos de día y pecadores de noche; yo simulo de día y me siento colmado de infinitos deseos de noche. ¡Oh, si ella mirase hacia abajo y pudiera ver dentro de mi alma, si pudiera hacerlo!

Si Cordelia se comprendiese a sí misma, tendría que reconocer que soy el hombre destinado para ella. Cordelia es demasiado impulsiva, demasiado sensible para encontrar la felicidad con un casamiento. Y no debe caer en manos de un vulgar seductor: si cayera por mí, en su caída salvaría para siempre lo interesante.

A decir verdad, Cordelia no tiene mucho deseo de prestar atención cuando Eduard habla. De vez en cuando escucha mis discursos con la tía. Entonces, dejo relampaguear en el horizonte un rayo que permite entrever otro mundo lejano y distinto; tanto la tía como Cordelia se quedan asombradas. La tía ve el relámpago pero no oye nada. Cordelia oye la voz, pero nada ve. Todo vuelve en seguida a ser como antes y la conversación entre la tía y yo sigue uniforme, acompañada por el monótono murmullo del agua en la tetera.

Esos instantes pueden tener algo que oprime, sobre todo para Cordelia. A nadie tiene con quien hablar. Si se dirige a Eduard, corre el peligro de que en su extravío cometa alguna torpeza; si vuelve los ojos hacia mí o hacia la tía, le sorprende desagradablemente el contraste entre la calma que reina en el monótono fluir de nuestras conversaciones y el embarazo de Eduard. Seguramente, para Cordelia, la tía debe parecer casi hechizada, por el modo como tan dulcemente me sigue donde yo quiera.

Pero Cordelia no puede tomar parte en nuestra conversación, puesto que yo, en ese caso, la trato como a una niña. Y no lo hago por tomarme libertades, sino todo lo contrario: sé con cuánto daño influiría y lo que importa es que su femineidad se eleve más pura y bella que nunca.

En mis confidenciales relaciones con la tía me es fácil tratar a Cordelia como a una chiquilla que nada sabe del mundo. Por eso, su femineidad no resulta herida, sino tan sólo neutralizada; ni puede sentirse molesta si a cada paso la amonesto por no saber los precios del mercado; lo que le irrita es que esas cosas se puedan considerar como las más importantes de la vida.

La tía, en cambio, avasallada por mi dominadora razón, se supera casi a sí misma y se ha tornado fanática. Lo único que no digiere es que, oficialmente, no soy nada. En la actualidad cada vez que se habla de un empleo vacante, digo: «Me convendría», y continuó hablando con mucha seriedad acerca de este asunto. Cordelia, como es lógico, advierte la ironía, que era lo que yo pretendía.

¡Pobre Eduard! Lástima que no se llame Fritz; cada vez que pienso en nuestras relaciones, me acuerdo del Fritz de *La prometida* de Scribe. Como su precursor, también Eduard es cabo de la Guardia Cívica y, en verdad, un ser bastante aburrido. No considera las cosas desde el punto de vista más justo... ¡Pobre Eduard!

La única idea que realmente me disgusta es que tiene tal ceguera por mí que no sabe cómo expresarme su gratitud. Que me agradeciese los servicios que le presto, sería demasiado...

Poco a poco, me acerco más a Cordelia y paso a ataques más directos. Cuando ahora estoy en su casa, me coloco de modo que me pueda volver hacia ella con mayor facilidad.

Con frecuencia le hablo y obligo a que me responda. Cordelia tiene verdaderamente un alma apasionada y le agrada todo cuanto sea extraordinario; mis ironías acerca de la estupidez de los hombres, mi olímpico desdén por su bellaquería, por su entorpecida inercia, la atraen indudablemente. Me parece que quisiera poder guiar el carro del sol para acercarlo a la tierra y asar un poco las espaldas de los hombres. Pero no tiene hacia mí el mínimo abandono pues he tratado de evitar todo acercamiento, en especial en el terreno del espíritu. Antes de poderse apoyar en mí, tiene que robustecerse a sí misma.

Cordelia debe desarrollarse, sentir la energía de la tensión de su alma, saber tomar el mundo y llevarlo a cuestas. Tanto sus ojos como su expresión me revelan los progresos que realiza. En cierta ocasión leí en ellos la rabia de la destrucción.

Pero Cordelia no debe sentirse obligada por mi causa, hacia mí, en nada, pues es preciso que sea libre, ya que solamente en la libertad está el amor, tan sólo en la libertad reside el eterno pasar de las horas felices. Aunque la tenga fuertemente en mi dominio, aunque me esfuerzo para llevarla al punto en que gravita atraída hacia mí, ella deberá caer en mis brazos, por lo menos aparentemente, como movida por un impulso natural. Y hago, y eso es de la mayor importancia, que no caiga como un cuerpo pesado, sino que, cual un espíritu, aletee alrededor de mi espíritu.

Aunque Cordelia me deba pertenecer, esa posesión no ha de llegar a identificarse con algo nada hermoso que pese sobre mí como una carga. Ella no debe resultarme una molestia, desde el punto de vista físico, ni un deber desde el punto de vista moral. Entre los dos, ha de reinar la libertad en el más exquisito juego. Mi mujer ha de resultarme tan ligera que la pueda sostener entre mis brazos.

Cordelia ocupa mi mente en exceso. Cuando estoy a su lado no pierdo nunca el equilibrio, pero en las horas de soledad mi cerebro sólo se dedica a ella. A veces, tengo un deseo infinito de ella y no de hablarle, sino de ver surgir su imagen ante mí, por lo que con frecuencia la sigo por la calle, no para que me vea, sino solamente para verla.

Anoche salimos juntos de casa de los Baseter; Eduard la acompañaba. Me separé pronto de ellos y de prisa me dirigí a un lugar apartado donde me esperaba mi criado; me disfracé con presteza y nuevamente fui a su encuentro, sin que ella lo sospechase. Eduard seguía mudo como siempre.

Estoy enamorado, es cierto, pero no en el sentido vulgar y común de la palabra, y cuando uno está enamorado de esta manera, hay que prestar atención porque las consecuencias pueden ser peligrosas: enamorado hasta ese punto sólo se está una vez en la vida.

Pese a todo, el dios del Amor es ciego y cuando se tiene cuidado, no es difícil engañarlo. El verdadero arte reside en adquirir la perceptividad emotiva mayor que se pueda, saber qué impresión se causa y cuál es la que se percibe de una muchacha. De este modo, se puede estar enamorado de muchas mujeres a la vez, puesto que se ama en grado distinto las distintas cualidades que cada una posee. Es muy poco amar a una sola, amarlas a todas se considera superficial, pero conocerse uno mismo y amar a todas las que se pueda, de tal manera que el alma se alimente, mientras la conciencia lo abarca todo, ¡ese es el placer, esa es la vida!

Pero, al fin y al cabo, Eduard no puede quejarse de mí. Es cierto que pienso servirme de él como de un instrumento por el que Cordelia llegue a odiar el amor común y pasar más allá de sus límites, pero es indispensable que Eduard no sea una caricatura, puesto que entonces no iba a servirme de nada. Y Eduard no es sólo un buen partido desde el punto de vista burgués; posee en su persona muchas cualidades agradables, que yo le ayudo a mostrar. Lo mismo que una modista o un decorador, le adorno lo mejor posible hasta donde me consienten mis medios: a veces hasta le visto con plumas ajenas...

Cuando nos dirigimos a casa de Cordelia, el hecho de ir caminando a su lado me infunde una curiosísima sensación. Me da la sensación de un hermano, casi un hijo, pero, sin embargo, es mi amigo, mi coetáneo y rival. Pero nunca llegará a serme peligroso. Cuanto más alto le coloque, tanto mayor será la altura desde la que Cordelia se acostumbrará a mirar lo que después va a tener que despreciar y tanto mayor se hará el presentimiento de aquello que desea infinitamente.

Ayudo a Eduard, hablo bien de él, hago, en fin, todo lo que un amigo puede hacer por un amigo. Para poner más completamente de relieve mi frialdad, presento a Eduard como un soñador. Y como nada sabe hacer por sí mismo, siempre necesita de mi ayuda para poder avanzar.

Cordelia me odia y, al mismo tiempo, me teme. ¿Qué es lo que teme una mujer? El espíritu. Porque el espíritu es la negación de toda su existencia femenina. Una belleza masculina, maneras simpáticas y cosas similares también son excelentes recursos para lograr conquistas, pero jamás sirven para darnos una victoria total. ¿Por qué? Porque en tal caso se combate con una muchacha en su propio terreno y con sus propias armas; entonces, ella es la más fuerte. Con tales recursos es posible conseguir que sus mejillas se sonrojen, que sus ojos miren al suelo, pero jamás se podrá provocar aquella ansiedad casi sofocante que embellece con tanto precio sus rasgos...

3 de julio

Físicamente, como mujer, ella me odia, pero como mujer espiritual me teme, pero en su mente debe amarme. Yo mismo provoqué esa lucha en su alma. Mi altivez, mi desdén, mi despiadada ironía la atraen, pero no al amor, porque aún no alimenta ese sentimiento y menos hacia mí.

Conmigo preferiría luchar; y me envidia la orgullosa independencia frente a los hombres, la arrogante independencia, ¡la libertad del árabe en el desierto! Mi ironía y mis excentricidades neutralizan toda manifestación amorosa. Por otra parte, Cordelia se muestra bastante expansiva conmigo, porque no ve en mí a un adorador; me toma una mano, me la aprieta, ríe conmigo y me muestra cierta atención en el sentido más estrictamente griego de la palabra.

Cuando con mis burlas irónicas le he divertido un tiempo, sigo el consejo de la vieja canción: «Extienda el caballero su capa y pida a la doncella que se tienda allí». Pero yo no extiendo la capa para evitar el contacto helado de la tierra, sino para desaparecer en el espacio, en alas del pensamiento.

O bien, no me la llevo, me coloco ante una idea, le hago señas con la mano y desaparezco; quedándome sensible para ella tan sólo en el eco de la palabra alada; cuanto más hablo más me elevo. Entonces, en un audaz vuelo del pensamiento, Cordelia pretende seguirme, elevándose en alas de águila. Pero yo sólo soy así en un instante; después, en seguida me vuelvo frío y seco.

Hay varias clases de rubor virginal: el vulgar sonrojo de las protagonistas de novela, que siempre se vuelven «rojas como el fuego», y un enrojecer más delicado, como una aurora espiritual que en una jovencita resulta maravilloso. El rubor fugaz que acompaña a un pensamiento feliz, es hermoso en el varón, más hermoso en el adolescente y encantador en la mujer. Es un centelleante resplandor del espíritu, que si resulta bello en un joven, encanta en una muchacha, pues su doncellez aparece así en su luz más pura. A medida que se avanza con los años, este rubor desaparece casi por completo.

A veces le leo algo a Cordelia, casi siempre de cosas indiferentes. Le indiqué a Eduard que es posible trabar agradables relaciones con una muchacha, prestándole libros. Efectivamente, Cordelia se mostró agradecida con él, por esa atención. Pero la ventaja para mí es que puedo decidir en la elección de los libros: de este modo conseguí un excelente recurso de observación. Yo le doy los libros a Eduard, pues para él, la literatura es «terreno desconocido»; cuando, después, llego a casa de Cordelia, tomo con aire distraído un libro de la mesa, leo algunas frases a media voz y alabo el gusto de Eduard por la elección.

Ayer por la noche me propuse poner a prueba lo expansivo del espíritu de Cordelia. Me sentía indeciso acerca de si debía hacer que Eduard le prestase las poesías de Schiller, para así encontrar después en ella, como por azar, el canto de Tecla, o bien las de Bürger. Me decidí por estas últimas, en especial a causa de Eleonora, que es un tipo exaltado pese a su belleza. Leí aquella poesía en voz alta y con gran sentimiento. Cordelia quedó muy conmovida y comenzó a coser de un modo febril, como si Guillermo debiera llevarse a ella en vez de a Eleonora.

Callé. La tía estuvo escuchando, sin interesarse demasiado por la lectura. Guillermo no la asusta ni vivo ni muerto y, además, no entiende bien el alemán. En cambio, se encontró en su elemento cuando comencé a hablarle del arte de la encuadernación, tras mostrarle lo bien que estaba encuadernado el libro. Así me proponía borrar en seguida la patética impresión que provocara en Cordelia. Por lo visto, se sentía íntimamente estremecida, pero no por una conmoción que pudiera hacerla caer en tentaciones; es más probable que experimentase una sensación de miedo.

Hoy, por primera vez, mi mirada se posó largo rato en ella. Suele decirse que el sueño vuelve los párpados tan pesados que deben cerrarse. Puede que algo parecido ocurra en mis ojos. Es como si se cerrasen, pero al mismo tiempo, aparecen oscuras y misteriosas fuerzas. Ella no se da cuenta de que yo la miro, pero lo siente, en todo el cuerpo. Cierro los ojos y anochece; en ella, en cambio, resplandece claramente el día.

Ahora deberé eliminar a Eduard. Trata de llevar las cosas a los extremos. A cada instante he de esperar a que se declare. Nadie puede saberlo mejor que yo, que comparto sus secretos, y deliberadamente le mantengo en esa exaltación, para influir de modo más eficaz en Cordelia. Pero permitirle que le confiese su amor sería arriesgarme demasiado.

Sé, perfectamente, que la respuesta iba a ser un no, pero no todo estaría acabado. Pues el verse rechazado iba a causarle demasiado daño a Eduard y el dolor podría conmover a Cordelia y hacerla más accesible. Esa compasión iba a perjudicarle la altivez de su alma, pues la compasión es un sentimiento malsano; y, de suceder esto, iba a resultar perfectamente vano todo cuanto hice por medio de Eduard.

En este momento, mis relaciones con Cordelia comienzan a adquirir un tinte dramático; algo ha de ocurrir, sea lo que sea. No puedo seguir manteniéndome en el simple papel de observador, si es que deseo que no se me escape de las manos en el momento preciso.

Cordelia tiene que tomarse por sorpresa, de modo inesperado... es necesario: de esta manera llegaré a ocupar el lugar que me corresponde. Pero debo mantenerme muy alerta, pues aquello que en un caso determinado puede tener eficacia, tal vez no la tendría en éste. Por tanto, Cordelia debe sorprenderse de manera que algo muy común aparezca en el primer momento, como a causa de la sorpresa. Tan sólo después, poco a poco, debe llegar a convencerse de que hasta en lo habitual puede ocultarse lo inusitado. Esta es la ley de todo lo interesante y ley también de todo cuanto hago o dejo de hacer con respecto a Cordelia.

Cuando se ha logrado aparecer sorprendido, se puede considerar ganada la partida. Porque al anular en la mujer su energía, se la torna incapaz de reaccionar; y eso como consecuencia y también de acuerdo con los medios habituales o extraordinarios que se han empleado.

Aún recuerdo con cierta satisfacción la prueba entre audaz y alocada que hice con una dama muy distinguida. Durante mucho tiempo la había seguido en vano y sin descubrirme para poder entrar en relación con ella de forma interesante, cuando un mediodía la encontré en plena calle. Estaba seguro de que no me iba a reconocer; puede que incluso ni siquiera supiese si era o no de la misma ciudad. Estaba sola; pasé delante de ella, mirándola con tristeza, creo que incluso con lágrimas en los ojos. Me quité el sombrero ante ella, que se detuvo, y con voz profundamente conmovida, que acompañé de una dolorosa y lánguida mirada, le dije:

—No se enoje conmigo, señorita... Se parece usted de modo sorprendente a un ser que amo con toda mi alma y que está lejos de mí; debe ser usted tan buena como ella para perdonar mi extraño proceder.

Como es lógico, ella me tomo por un soñador, y algo

novelesco agrada siempre a una muchacha, en especial si se siente por encima de la situación y puede sonreírse.

Y, efectivamente, me sonrió, con infinita gracia: y con una sonrisa me saludó también, aún manteniendo los modales más distinguidos. Luego, continuó su camino; yo la seguía a unos pasos de distancia.

Días más tarde, la encontré de nuevo y me permití saludarla. Ella me miró, sonriendo amablemente...

La paciencia es una virtud y ríe mejor quien ríe el último.

Pero, ¿cómo voy a sorprender a Cordelia? Podría provocar una tempestad erótica y arrancar los árboles de raíz. Podría intentar desarraigarla del terreno en el que está y, al mismo tiempo, poner a la luz su pasión, con secretos recursos. Y no me resultaría imposible, pues a causa de su pasión se puede inducir a una muchacha a cualquier cosa. Estéticamente iba a ser un error y, tratándose de Cordelia, desertaría del ideal que busco. Además, éste es un recurso que sólo da buenos resultados cuando uno tiene que vérselas con las jóvenes a quienes la falsedad apenas puede prestar un relámpago de poesía.

En este caso, sin embargo, se pierde con facilidad el verdadero deleite por el perjudicial efecto de la confusión. Entonces debería yo vaciar en un par de tragos la copa que, en cambio, puede darme placer durante muchos años seguidos. E, incluso haciendo todo eso, iba a tener tan plena consciencia de mi error que me resultaría más doloroso el remordimiento de no haber sabido disfrutar de un modo más rico y acabado. No debo regalarme con Cordelia en un momento de exaltación.

Lo que me convendría más para llegar a mi finalidad es un compromiso oficial. Quizá Cordelia se sorprendiese mucho más al oír de mí una declaración de amor al estilo vulgar y burgués y verse pedida como esposa, que pensando en ser raptada con el corazón palpitante, mientras escuchaba ardientes palabras amorosas y respirando la esencia de la embriagadora copa que yo le ofreciese.

Pero lo que me molesta de un modo atroz en un noviazgo es la moral que lo impregna. La ética es siempre, y en igual medida, algo aburrido, tanto en la ciencia como en la vida. ¡Qué contraste! Bajo el cielo de la estética todo es hermoso, alado, lleno de gracia; donde entra, en cambio, la ética, el mundo se torna yermo, feo e indeciblemente aburrido. En sentido estricto, en el noviazgo no hay una realidad edita como en el matrimonio: su cautivante fuerza sólo existe *ex consensu gentium*[1]. Cosa que para mí reviste la máxima importancia. Pues el *quantum* ético del caso puede bastar exactamente para dejar en Cordelia la impresión de que superó los límites de lo ordinario, sin que esta impresión llegue a tal gravedad como para provocar terribles agitaciones.

Siempre tuve cierto respeto para con la moral. Ni en broma prometí jamás casarme con una muchacha. Y si ahora quebranto mi norma, esto será tan sólo aparente pues he de saber obrar de manera que Cordelia me libre de todo compromiso por sí misma. Mi orgullo de caballero estima cosa despreciable hacer promesas.

Un juez comete una ruindad cuando intenta convencer a un delincuente a que confiese con la promesa de la libertad. Semejante juez ha renunciado a su fuerza y a su talento. Yo tan sólo deseo lo que se me regala en el más estricto sentido del vocablo. Los seductores inexpertos se sirven de recursos desleales, pero ¿qué es lo que consiguen? Quien no sepa mantener fascinada a una muchacha, tanto que ella no sepa ver nada fuera de lo que se quiere que vea; quien no sepa identificarse con el ser de ella hasta conseguir cuanto desea, es un inepto, un inútil. No le envidio sus goces. Un hombre de esa especie es siempre un incapaz y no deseo que puedan tildarme de impotencia.

Yo soy un esteta, un artista del amor y creo en el amor; comprendí la esencia del amor y su interés, conozco todos sus secretos y tengo al respecto mis propias ideas; creo,

1. Por consentimiento de la gente. (*N. del T.*)

efectivamente, que una historia de amor debe durar a lo sumo seis meses y que toda relación debe cesar *ipso facto*[1] en cuanto ya nada queda por disfrutar. Sé todo esto y también sé que el mayor deleite que se puede imaginar amando es el de ser amado, el de ser amado por encima de todas las cosas del mundo. Penetrar en el ser de una muchacha con el espíritu, es todo un arte, pero saber salir de ese ser constituye una obra maestra, aunque esto último dependa siempre de lo primero.

Otra cosa aún sería posible: que Eduard se comprometiese con ella y yo me convirtiera en amigo de la casa. Es indudable que Eduard tendría una absoluta confianza en mí, pues toda su dicha le iba a parecer obra mía. Así podría yo obrar de modo más disimulado. Pero esto no me conviene: Cordelia no puede comprometerse con Eduard sin caer de su altura. Y, en tal caso, quizá mis relaciones con ella fuesen más picantes que interesantes. El interés no puede nacer del terreno infinitamente prosaico de un noviazgo.

En casa de las Wahl todo comienza ahora a tener significado. Se advierte claramente que bajo las formas habituales se mueve una vida oculta que muy pronto ha de encontrar su expresión exterior. La casa se prepara para un noviazgo. Un observador superficial podría creer que quizás hay algo entre la tía y yo. Los hijos que nacieran de este matrimonio serían utilizados para la difusión de la ciencia agraria. Y yo me convertiría en tío de Cordelia...

Aunque soy partidario de la libertad de pensamiento, esta idea me resulta tan absurda que no tengo el valor de entretenerme con ella.

Cordelia teme una declaración de Eduard y éste acaricia la esperanza de que tal vez con una declaración podría aclararlo todo. Pero yo prefiero ahorrarle las consecuencias desagradables de un paso semejante, previniéndolo.

1. Automáticamente. (*N. del T.*)

Confío en poder librarme de él muy pronto pues ahora comienza a ponerme dificultades en el camino. Le veo tan embriagado de sueños y de amor que temo casi que en un momento de sonambulismo comience a contar su amor por toda la ciudad. Pero, al mismo tiempo, no se atreve a acercarse a Cordelia.

Hoy le eché una mirada: igual que un elefante puede levantar a un hombre con la trompa, yo le levanté con la mirada y le tiré de espaldas. Aunque se quedó sentado en su lugar, imagino que sintió el golpe en todo su cuerpo.

Cordelia ya no está tan segura de mí como antes. En el pasado, se me acercaba casi siempre femeninamente segura; ahora vacila bastante. Esto, sin embargo, no significa gran cosa y no me iba a costar mucho volver las cosas al estado anterior. Pero no quiero hacerlo. Pocas exploraciones más en su alma y luego, el compromiso. No se me van a oponer muchas dificultades; Cordelia dirá un sí convencido al que seguirá un cordial *Amén* de la tía. ¡Y la tía no cabrá en sí de satisfacción ante la alegría de tener un yerno en ciernes tan lleno de economía agrícola!

Todo nos envuelve como una enredadera cuando nos arriesgamos en ese terreno. ¡Yerno! En realidad, no me convertiría en yerno suyo, sino en un sobrino o, mejor, si Dios quiere, ni en una cosa ni en otra.

23 de julio

Hoy he recogido el fruto de un rumor que lancé a la circulación, es decir, que estoy enamorado de una joven. Por medio de Eduard, el secreto llegó a oídos de Cordelia. Es muy curiosa, me observa pero no se atreve a preguntarme. Y, sin embargo, no le resulta indiferente averiguar si es cierto o no, en parte porque le parece imposible, en parte porque vería en eso un hecho significativo también para ella. Si un hombre tan lleno de ironía helada como yo, es capaz de enamorarse, ¿por qué no podría hacerlo ella sin tenerse que avergonzar?

Tengo la seguridad de poder contar una historia de manera que su *pointe* ni se pierda ni llegue demasiado temprano. Mantener a los oyentes en tensión anímica e irme asegurando, con divergencias de carácter episódico, del resultado que esperan de la historia y engañarles constantemente con respecto a la dirección que tomarán los acontecimientos, es una gran satisfacción mía.

Emplear dobles sentidos, de manera que los oyentes sólo comprendan uno de los dos y luego, de repente, adviertan que mis palabras tienen o pueden tener otro, es mi arte mejor. Cuando se busca tener ocasiones de hacer determinadas observaciones para determinado fin, hay que hacer un discurso. Y, mientras se habla, es fácil notar cuál es el estado de ánimo de los oyentes, por medio de desviaciones, preguntas y respuestas.

Con toda seriedad, comencé por decirle a la tía:

—¿Debo atribuir ese rumor a la benevolencia de los amigos o a la perversidad de los enemigos?

La tía hizo un comentario del que procuré distraer la atención de Cordelia, para mantenerla en la mayor tensión anímica posible. A eso colaboré yo también, dirigiéndome siempre a la tía y hablando con toda la solemnidad posible:

—O deberé achacarlo a la casualidad, a un *generatio aequivoca*, al nacimiento equívoco de un rumor difundido (Sin duda, Cordelia no comprendió estas palabras latinas que contribuyeron a confundirla aún más, en especial porque las pronuncié con un acento incorrecto y al mismo tiempo con una expresión como si allí estuviese la *pointe*), de manera que yo, que vivo alejado del mundo, me convertí en tema de conversación, por lo cual se pretende que estoy comprometido.

Cordelia, sin duda, espera que yo confiese o lo desmienta, pero yo continúo:

—Mis amigos lo han dicho porque, sin duda, se cree una

gran dicha estar enamorado (Cordelia se ha estremecido); mis enemigos porque lo encuentran ridículo (la impresión contraria), justamente porque consideran que la cosa carece de fundamento. ¿O deberé suponer en todo eso una *generatio aequivoca* o creer que todo haya nacido de las vanas elucubraciones de un cerebro desocupado?

Con femenina curiosidad, la tía se apresuró a preguntarme con quién, según el rumor, estaba yo comprometido. No respondí a la pregunta. Creo que toda esa historia sólo sirvió para elevar un par de puntos las acciones de Eduard ante Cordelia.

Se está acercando el momento decisivo. Podría dirigirme a la tía, en una carta, para pedirle la mano de Cordelia. Por lo general, se procede de esta manera como si para el corazón fuese más natural escribir que hablar. Con seguridad, también yo eligiría este camino más próximo a lo prosaico y vulgar de un noviazgo, si no me arrebatase toda posibilidad de sorprender a Cordelia, motivo por el cual me abstengo gustoso.

Puede que un amigo me dijese:

«Reflexiona el paso que vas a dar; es definitivo para tu existencia y para la felicidad de otra persona.»

Sí, esta sería la ventaja en caso de tener amigos, pero no tengo amigos. Ignoro con certeza si es una ventaja pero es sin duda una ventaja muy grande no tener que sufrir el tormento de tales consejos. Por otra parte, puedo decir, en todo el sentido de la palabra, que he reflexionado mucho antes de tomar una determinación.

Por tanto, nada me impide comprometerme. Y ahora voy a dejar de representar el papel de persona insignificante y prosaica, para convertirme en un partido «en un buen partido», como dice la tía.

Esa historia sólo me disgusta por ella, por ella que me ama con un amor puro, sincero, económico y que casi me adora como si fuese un ideal.

31 de julio

Hoy he escrito una carta de amor para otro. Me resulta interesante identificarme, por medio de este recurso, con una situación ajena, sin tener que sacrificar nada de mi tranquilidad.

Enciendo la pipa, escucho los detalles que él me da y le pido las cartas que ella le escribió. Siempre he tratado de estudiar cómo escribe una joven. El otro está allí, como una rata enamorada y me va leyendo esas cartas, lectura que yo interrumpo de vez en cuando con alguna breve observación. La muchacha sabe escribir, tiene sentimiento, buen gusto, es prudente, a buen seguro debe haber amado en otra ocasión, etc.

Además, yo cumplo una buena acción, reúno a dos jóvenes y luego me quito de enmedio. Cada vez que hago feliz a una pareja, busco luego para mí una víctima, pero procuro la dicha de dos personas y la desdicha de una a lo sumo. Soy honrado y digno de confianza; jamás engañé a nadie que confiase en mí.

Naturalmente, también yo consigo mi pequeña ganancia, pero es un tributo de derecho. ¿Por qué gozo de confianza general? Pues porque sé latín, estudio celosamente y me guardo mis historias para mí mismo. ¿No soy, acaso, digno de tanta confianza? Jamás abusé de ella.

2 de agosto

Ha llegado mi hora. He encontrado a la tía por la calle; sabía, además, que Eduard estaba en la Aduana, por lo que podía calcular que Cordelia estaba sola en casa. Efectivamente, estaba sola sentada a su mesita de trabajo. Al verme, se estremeció ligeramente, porque no acostumbro a visitar a la familia por la mañana.

Faltó muy poco para que la situación tomase un rumbo

excesivamente agitado. Y la culpa no hubiera sido de Cordelia que se recobró en seguida; en cambio, yo experimenté una inexplicable impresión pese a la coraza con la que pretendo escudarme.

Estaba encantadora con su trajecito de muselina a rayas azules y con una rosa fresca en el pecho. Ella misma era una fresca flor; con la frescura suave de la flor apenas abierta. ¿Quién puede saber por donde vaga el alma de las jóvenes durante la noche? Imagino que por el país de las ilusiones; y cuando por la mañana vuelven a este país, traen consigo un virginal aliento de frescura.

¡Tenía un aspecto tan juvenil y, a la par, tan maduro! En ese instante parecía salida de las manos de la naturaleza, la madre tierna y rica. Y me pareció que había asistido a ese nacimiento, a esa separación y haber visto a la madre amorosa tomarla una vez más en los brazos y decirle:

«Entra en el mundo, criatura de mis entrañas, lo hice lo mejor que pude; recibe este beso en tu boca como un sello; como un sello que te mantiene sagrada y que nadie podrá romper hasta que tú no lo quieras. Pero cuando llegue el único digno, podrás comprenderlo por ese mismo sello.»

Y puso un beso en sus labios, un beso que no quita nada, al revés de los besos humanos, sino uno divino que lo da todo y entrega a la muchacha en poder de los besos.

¡Oh, naturaleza, qué misteriosa y profunda eres, tú que das al hombre la palabra y a la mujer la elocuencia del beso!

Cordelia recibió en los labios ese beso y el del adiós en la frente, y otro de gozoso saludo en los ojos. Por eso parecía que nada supiera del mundo: únicamente conocía a la madre inmortal, la fiel, la buena que invisible velaba por ella.

En seguida fui dueño de mí y adopté el ceño y el gesto solemnemente tonto que se une en tales ocasiones. Tras un breve preámbulo, me acerqué y le hice mi petición.

Cuando un hombre habla como un libro impreso, es aburrido escucharle, pero a menudo es muy útil hablar de este modo. Entre todas sus cualidades, un libro tiene la muy rara de dejarse interpretar cómo se quiera. Hablando como un libro, es posible precisamente llegar a este fin. En mis palabras no me alejé del formulismo ordinario. Innegablemente, Cordelia me pareció sorprendida, tal como esperaba. No sabría, en verdad, describir su aspecto en aquellos instantes. Tenía la misma apariencia de un comentario del libro, un comentario no escrito aún pero prometido, y susceptible de cualquier interpretación. Una sola palabra más y la muchacha se hubiera reído de mí; una palabra más y se hubiera sentido conmovida; una palabra más y se hubiera vuelto suplicante. Pero ni una sola palabra acudió a mis labios; me limité, tan sólo, a lo ritual.

—¡Pero hace tan poco que nos conocemos!

¡Dios mío! De esa dificultad sólo nos preocupamos cuando nos queremos comprometer y no cuando recorremos el noble y despreocupado sendero de rosas del amor...

¡Cosa extraña! En mis reflexiones de esos últimos días, jamás dudé de que ella me contestaría con un «sí», de conseguir tomarla desprevenida. Eso demuestra lo poco que valen los preparativos: nada ocurrió tal como yo lo esperaba. Cordelia no dijo ni que sí ni que no. Debí haberlo previsto. Por lo demás, la suerte no deja de favorecerme pues el resultado fue mejor de lo que esperaba. Cordelia me dijo que me dirigiese a la tía. Esta dio su consentimiento, del que no dudé nunca, y Cordelia siguió el consejo de la tía...

Mi compromiso no fue demasiado poético... No puede ufanarme gran cosa. Por el contrario, resultó muy prosaico y burgués. La muchacha no sabe decidirse a decir ni que sí ni que no: la tía dice que sí; la muchacha dice que sí a su vez; yo acepto a la muchacha y ella me acepta a mí... Y ahora debe comenzar la historia...

3 de agosto

Por tanto, estoy prometido. Y Cordelia también. Eso es

más o menos lo que ella sabe. Si tuviese una amiga para sus confidencias, le diría:

«No llego a comprender lo que todo esto significa. Hay algo que ignoro que me atrae hacia él, pero no puedo explicarlo. ¡Él ejerce sobre mí una fuerza de atracción muy extraña! ¿Quieres saber si le amo? No, eso no y, además, nunca podré amarle. En cambio, podré vivir bien con él y ser feliz con él; desde luego no me exige mucho y le basta con que yo sepa adaptarme a vivir con él.

Mi querida Cordelia, él quizás exige muchísimo más de lo que tú puedas imaginar, mucho, pero mucho más que adaptarte a vivir con él...

El compromiso es, desde luego, el más ridículo de todos los estados y situaciones ridículas. El matrimonio, por lo menos, tiene un sentido, aunque traiga aparejadas muchas molestias. Pero el compromiso es un invento que se debe únicamente al hombre y no honra, desde luego, al inventor.

Eduard está furioso y lleno de amargura. Ahora se deja crecer la barba y, lo que es muy importante, ya abandonó su traje negro. Quiere hablar con Cordelia y descubrirle mi horrible engaño. ¡Seguro que será una impresionante escena ver a Eduard, sin afeitar, mal trajeado, hablando a gritos con Cordelia! ¡Mientras la barba no logre hacerle triunfar!...

En vano trato de hacerle razonar, diciéndole que el compromiso ha sido obra de la tía, que puede que Cordelia aún piense en él y que si él lograse reconquistarla, yo me iba a retirar al momento, etc., etc., etc. Por un instante, queda indeciso acerca de si debe afeitarse y vestirse nuevamente de negro, pero en seguida maldice rabioso. Hago todo lo posible por calmarlo. Pero, pese a lo enfadado que está conmigo, no da un paso sin dirigirse a mí en busca de consejo: no olvida que he sido su fiel mentor. ¿Por qué quitarle la última esperanza, por qué romper con él? Es una persona amable, querida, y ¡quién sabe si aún puede serme nuevamente útil!

Ahora me encuentro frente a una doble tarea; ante todo, debo preparar las cosas de modo que pueda liberarme del compromiso cuando quiera y asegurarme, a cambio, un vínculo mucho más bello con Cordelia, un vínculo de más hondo sentido. Luego, debo emplear cuanto sea posible el tiempo para gozar de los encantos con que tan generosamente la adornó la naturaleza, pero con la circunspección y reservas necesarias para no tomar nada prematuramente.

Una vez Cordelia haya aprendido en mi escuela lo que es amar y sepa «amarme», el compromiso tendrá que romperse o disolverse, como forma insuficiente de amor, y ella será mía. Otros, en cambio, se precipitan como locos hacia la meta del compromiso y se aferran a él con tenacidad y no tienen así por delante otra perspectiva que un matrimonio aburrido por toda la eternidad. Cada cual actúa de acuerdo con sus gustos.

Todo está en el *statu quo ante*, pero me es imposible imaginar un novio más dichoso que yo, ni tampoco un avaro que haya encontrado monedas de oro más avaro que yo. Sólo el pensar que está en mi poder me embriaga. ¡Una femineidad pura, inocente, diáfana como el mar pero, al mismo tiempo, como el mar profunda y por completo ignara del amor! Sin embargo, ahora aprenderá cuál es su poder.

Como una hija de reyes que desde una choza es conducida al trono de sus padres, ella debe entrar en el reino que le pertenece y que es también su verdadera patria. Y esto va a suceder por mí y gracias a mí: cuando aprenda lo que es el amor, aprenderá también a amarme. Cuando haya conocido todo el valor del amor, se volverá a mí para amarme y cuando el corazón le diga que todo le ha sido revelado por mí, me amará doblemente.

Muchas jóvenes tienen en el corazón una imagen indefinida y nebulosa, que debería ser un ideal, y por tal imagen miden a todos los objetos de su amor. Entre medias almas de esa especie podemos hallar alguna que nos acompañe cristianamente a través del mundo, pero nada más.

Cordelia está sentada en el sofá, ante la mesa del té, y yo cerca, en una silla. Esta colocación demuestra confianza, pero, al mismo tiempo, infunde un noble respeto que mantiene la distancia. El modo de pensar es extraordinariamente fundamental, por lo menos para quien sepa ver y entender. El amor tiene varias posiciones: ésta es la primera.

Todo me embriaga en esa muchacha tan admirablemente dotada por la naturaleza: las formas puras y mórbidas, la profunda y virginal inocencia, los ojos limpísimos. La saludé al entrar. Como de costumbre, vino a mi encuentro con aire alegre, ligeramente extraviado, puede que un poco insegura. Desde el día del compromiso, nuestras relaciones han cambiado un poco, pero ni ella sabe en qué medida. Ha tomado mi mano, pero no sonriendo como siempre. Estreché la suya de modo casi imperceptible, con dulzura y amabilidad, pero sin expresar amor.

Está sentada en el sofá, ante la mesa del té.

Todo parece tranquilo y solemne como cuando la tierra comienza a encenderse en el primer fuego del alba. De sus labios no brota ni una sola palabra, pues el corazón está demasiado conmovido. Mis ojos se detienen en ella, pero no con un pensamiento sensual: iba a ser algo demasiado rastrero. Igual que una nube sobre los campos, un leve arrebol se extiende por su rostro. ¿Qué es lo que expresa? ¿Amor, deseo, temor, esperanza? Pues el rojo es el color del corazón. No. Ella se asombra, se admira, pero no de mí, no de sí misma; se sorprende en sí misma, porque en sí misma va transformándose.

Un momento semejante exige tranquilidad; la reflexión no debe perturbarlo, ni las tormentas de la pasión deben interrumpirlo. Parece casi que yo no esté presente y es precisamente mi persona la condición necesaria para su estupor contemplativo. Mi ser está en armonía con el suyo. En esos instantes, se adora a una joven como a una divinidad: de modo silencioso.

Me siento feliz al disponer de la casa de mi tío. Para que

en un muchacho nazca el horror al tabaco, nada mejor que llevarle a un salón de fumar. Del mismo modo, para quitar a una muchacha el deseo de noviazgo, nada hay mejor que llevarla a casa de mi tío. Allí está el lugar de cita de todos los prometidos: es una sociedad insoportable y desde luego no voy a poder ofenderme si Cordelia se muestra impaciente. Estamos allí unas diez parejas, sin contar las tropas auxiliares que vienen a la capital los días de fiesta. Los novios podemos beber en copas muy llenas el gozo del compromiso.

Durante toda la velada no se oye más que un ruido semejante al que produce quien va dando vueltas con un aplastamoscas... ¡Son los besos de los enamorados! Y como en casa de mi tío reina una libertad demasiado tolerante, ni siquiera hay necesidad de buscar un rinconcito apartado: todos se sientan alrededor de una gran mesa redonda. Yo simulo conducirme con Cordelia igual que los otros, pero en eso debo dominarme. ¡Iba a ser verdaderamente desagradable si yo ofendiese de este modo su virginidad! En tal caso, iba a considerarme digno de más reproches que si la engañase. Cualquier muchacha que se me confíe, puede estar segura de que será tratada de forma perfectamente ética. Claro que al final de la historia resultará engañada, pero eso no contrasta con mis principios estéticos, sino que más bien se adapta a ellos y les corresponde. Además, en cualquier caso, uno de los dos debe ser fatalmente engañado, o el hombre por la mujer o la mujer por el hombre. Resultaría interesante ver por medio de una estadística histórica, aunque sea extraída de las fábulas, de las leyendas, las mitologías o las canciones populares, quien es infiel más a menudo, si el hombre o la mujer.

No me duele el tiempo que de modo tan generoso utilizo con Cordelia aunque todos los encuentros con ella exijan unos largos preparativos. Vivo con ella el desarrollo de una pasión. Yo mismo asisto a ese desarrollo casi sin que me vean, aunque esté visiblemente a su lado. Igual que en una danza para dos, bailada por uno solo, así es mi relación para con ellas: en mi invisibilidad soy el segundo bailarín. Ella se mueve como en sueños y cree estar sola; sin embargo, se mueve con otro y ese otro soy yo, invisible cuando estoy visiblemente presente, visible cuando lo estoy invisiblemente. En su moverse, ella necesita de un compañero; se inclina hacia él y le tiende la mano y huye y vuelve a acercársele... Yo tomo su mano y completo su pensamiento, ya completo en ella misma. Se mueve a la melodía de su alma; yo no soy más que la ocasión por la que se mueve. No demuestro mi amor para no despertarla del ensueño y soy dúctil, suelto, impersonal como una sensación.

¡De qué cosas hablan los novios! Por lo general, tratan de que mutuamente conozcan a sus honorabilísimas familias. Nada hay extraño si en tales momentos el espíritu del amor huye muy lejos.

Es absolutamente preciso saber convertir el amor en algo absoluto, ante el cual cualquier otra cosa pierda importancia; de otro modo, es mejor abandonar todo intento de llegar a amar, aunque se desee casarse diez veces por lo menos.

¿Qué tiene que ver con los misterios del amor que mi tía se llame Mariana, Christopher mi tío o que mi padre alcanzara el grado de mayor? Incluso nuestra vida pasada debe perder todo sentido.

Por otra parte, no creo que se pueda decir de un modo apropiado que una muchacha tenga cosas que contar. Y si algo sabe, puede que valga la pena escucharla pero no amarla. Yo, por lo menos, no exijo historias de ninguna clase: me basta con lo inmediato.

Es una eterna ley del amor que dos seres deben sentirse nacidos uno para el otro, tan sólo en el primer momento en que comenzaron a amarse.

Ahora debo tratar de inspirar en Cordelia cierto grado de confianza, o, mejor, alejar de su mente algunas dudas. No pertenezco seguramente al número de los amantes que se aman por estimación y que, por estimación, echan hijos al mundo. Pero sé bien que el amor exige que estética y moralmente no se pongan en conflicto, mientras la pasión esté aun adormecida. Entonces, el amor encuentra su propia dialéctica.

Mi manera de proceder con Eduard fue mucho menos moral que la que empleé con la tía, pero me resulta mucho más fácil defender ante Cordelia la primera que la segunda. Aunque ella ni siquiera aludió a todo eso, creí conveniente decirle que no me fue posible proceder de otro modo. La certeza de las infinitas precauciones que tuve que tomar a causa de ella, lisonjea su amor propio; y la forma misteriosa como actúo despierta su atención.

Es evidente que con eso podría revelar una larga experiencia en amor y que caería en contradicción manifiesta si se me escapase que nunca amé antes de ahora. Pero no importa. No temo nada; es suficiente que ella no lo note de momento y así alcanzaré lo que yo quiero. Dejemos con toda tranquilidad a la gente sabia el orgullo de no caer nunca en contradicción. ¡La vida de una joven es muy rica! Y por ese motivo también es rica en contradicciones. Y provoca contradicciones... ...

Perfectamente. Desde lejos, en la calle, veo la graciosa cabecita orlada de rizos que se asoma a la ventana: hace tres días que la estoy observando. Las muchachas jamás están en la ventana sin una razón y puede que en este caso haya una muy particular.

Por el amor de Dios, que no se asome tanto. Apostaría diez contra uno a que está subida en una silla, ¿verdad? Piense lo espantoso que iba a ser que cayera, no sobre mi cabeza pues yo no vengo al caso, sino sobre la de él... ¡Cómo! ¿Es posible? Es precisamente un amigo mío, el teólogo Hansen. Tiene algo extraordinario en su porte, en su paso; veo claramente que llega con las alas del deseo. ¿Frecuenta su casa de usted? ¿Y sin que yo lo sepa? ¿Porqué desaparece, hermosa señorita? ¡Ah!, desea correr a su encuentro para abrirle la puerta... Vuélvase, vuélvase tranquilamente, que no vendrá... ¿Cómo? ¿No me cree? Puedo asegurárselo... Me acaba de decir en ese instante que no desea entrar en su casa. De no haber hecho tanto ruido el coche que pasó, usted misma hubiera podido oírlo. Le pregunté, *en passant*:

«¿Piensa entrar ahí?»

Y él me contestó con voz clara e inteligible:

«No.»

De momento, puede decirle adiós, pues el señor teólogo se viene a pasear conmigo.

Está confundido y las personas confundidas hablan con facilidad. Hablaré con él del cargo de párroco al que aspira... Hasta la vista, hermosa señorita. Tenemos que dar un paseo por la Aduana.

Ya estamos de vuelta. ¡Qué fidelidad la suya, señorita! ¡Aún en la ventana! No sé quién no iba a sentirse feliz al poseer a una joven semejante...

Pero, ¿por qué estoy tratando tales historias? ¿Soy tal vez un despreciable ser que pretende divertirse a costa de los demás? ¡No, en absoluto! Todo lo hago por su bien, mi amada señorita. En primer lugar, usted esperaba al teólogo, lo esperaba con ardiente deseo y, al verle ahora por segunda vez, su alegría será doblemente mayor. En segundo lugar, en cuanto el teólogo ponga el pie en casa de usted, dirá:

«¡Por fin estoy aquí! Dios mío, que poco faltó para que nos traicionásemos. Aquel maldito estaba abajo, en la puerta, precisamente cuando me disponía a subir a visitarte... Pero he sido muy astuto y he hablado mucho con él acerca del cargo al que aspiro. Y debí arrastrarla hasta la Aduana. Pero no se dio cuenta de nada.»

¡Excelente! Y ahora usted amará al teólogo mucho más que antes, a causa de su perspicacia. Usted sabía, sin duda, que era un hombre muy instruido pero seguramente ni sospechaba que fuese así mismo muy sagaz.

Al pensarlo, me parece que su noviazgo no debe aún ser oficial, ya que en ese caso ya lo hubiera sabido. La muchacha es hermosa y atractiva, pero demasiado joven. Quizá su razón no haya madurado todavía. Si diera un paso tan importante sin haberlo aún meditado lo suficiente... Es preciso impedirlo. Deseo hablar con ella. Es mi obligación tratándose de una muchacha tan amable. Y también es mi deber para con el teólogo, pues es amigo mío, lo mismo que para ella por ser la novia de un amigo. Y del mismo modo se lo debo a su familia, que, por cierto, es muy respetable: por último, se lo debo a toda la humanidad por tratarse de una buena acción. ¡Toda la humanidad! ¡Qué idea más hermosa y más edificante! ¡Actuar en nombre de toda la humanidad, tener un poder tan amplio!

Y ahora vuelvo a Cordelia. Siempre puedo necesitar determinadas impresiones y la nostalgia amorosa de aquella cabecita orlada de rizos me conmovió en verdad de un modo muy dulce.

Ahora debo incitar la primera guerra con Cordelia. Huyendo de ella y dejándome perseguir, deseo enseñarle a ganar en esta lucha. Este es mi plan. Comienzo por retraerme ante ella, que, de este modo, deberá llegar a conocer todo lo que constituye el poder del amor: pensamientos inquietos, pasión, nostalgia, esperanza, esperas impacientes... Mientras yo finjo eso, todo se desarrolla en ella y yo armónicamente por ella. De este modo, Cordelia se encamina a su triunfo. Yo alabo con grandes elogios ese triunfo y, mientras tanto, le muestro el único camino por el que debe avanzar. Al verme postrado bajo su cetro, deberá creer en la eterna fuerza del amor, pero, al mismo tiempo, deberá creer en mí... Ni siquiera lo dudo, pues mis actos se fundan en profundas verdades y, además, estoy muy seguro de mi arte.

Así se despertará el amor en su alma y ella recibirá su primera consagración como mujer. Luego, cosa que no hice hasta hoy, le haré la corte en el más estricto sentido burgués de la palabra. Esto va a separarla de mí y en ese momento se sentirá libre. La quiero amar tan sólo libre. Pero será necesario que ni siquiera sospeche que me debe esa libertad, para que no pierda la confianza en sí misma. En cuanto sea libre y así se sienta hasta el punto de pretender desembarazarse de mí, comenzará la verdadera guerra. En ese instante, Cordelia será fuerte y estará llena de pasión, motivo por el cual la lucha tendrá para mí un enorme significado, cualesquiera que sean sus consecuencias inmediatas. ¿Y si deseara deshacerse de mí por orgullo? ¡Sea! Que logre su libertad: de un modo u otro deberá ser mía. Es tonto pensar que el compromiso iba a bastar a tenerla atada a mí...

Deseo tomar posesión de ella tan sólo cuando se juzgue libre. Pero, aun en el caso de que me abandone, tendrá que comenzar la segunda guerra, en la que yo seré el vencedor, pues la primera victoria no habrá pasado de una ilusión. Cuanto mayor sea su fuerza, tanto mayor será para mí el interés. La primera lucha será una guerra de liberación en la que podré combatir casi en broma, pero la segunda será una guerra de conquista, guerra por la vida y por la muerte.

¿Amo a Cordelia? ¡Sí! ¿Con toda sinceridad? ¡Sí! ¿También fielmente? Sí, fielmente en el sentido estético de la palabra, lo que ya tiene cierto valor. ¿De qué te hubiera valido, muchacha, caer en manos de un marido estúpido? ¿Qué habría sido entonces de ti? Nada.

Se afirma generalmente que la honestidad no basta para vivir y yo sostengo que la honestidad no basta cuando se pretende amar a determinadas muchachas. Por tanto, la amo fielmente. Conservo la máxima reserva para no perturbar el desarrollo de su rico temperamento y para que pueda descubrirse cuanto en ella está oculto. Soy de los pocos que pueden hacerlo y entre las numerosas muchachas, ella es la única a quien esto conviene. ¿Es que no hemos sido creados el uno para el otro?

Desde luego, no es culpa mía si no puedo poner los ojos en el pastor que dice el sermón, en vez de fijarlos en el hermoso pañolito que usted tiene entre las manos... En él hay bordado un nombre que deseo ver... ¿Se llama usted Carlota Hahn? ¡Resulta fascinador conocer tan pronto y de modo fortuito el nombre de una muchacha! ¿Habrá sido algún geniecillo quien misteriosamente me ha permitido enterarme? ¿O quizás usted puso el pañuelo de modo que yo lo pudiese leer?

Está usted conmovida y se seca una lágrima... De nuevo el pañuelito en la mano... Y ahora usted se da cuenta de que yo la miro, sin atender al pastor, y, al mismo tiempo, comprende que el pañuelo me reveló su nombre... ¡En eso, no hay nada malo! ¡Es tan sencillo saber el nombre de una señorita! ¿Por qué maltrata el pañuelo de esa forma? ¿Es que está enojada con él? ¿Y también conmigo? Escuche, por favor, las palabras del pastor:

—No se debe inducir al prójimo a la tentación. Aun el que lo hace sin saberlo, es culpable y tan sólo con muchas buenas acciones podrá expiar su falta.

El pastor ha concluido ya su sermón y agrega:

—Amén.

Fuera de la iglesia, si le place, podrá desplegar el pañuelito al viento... ¿O tiene miedo? ¿Hice algo que quizá no puede perdonarme o algo en lo que no se atreve a pensar más... para poderme perdonar?

En mis relaciones con Cordelia voy a tener que usar dos clases de maniobras. Si cedo siempre ante su omnipotencia, en vez de «hipostasiar» su más profunda femineidad, puede muy bien ocurrir que el espíritu de amor se disuelva en ella. Además, ella se va, envuelta en la ensoñación, al encuentro de la victoria, pero debe despertarse. Y debe aprender a volver al campo de batalla con renovadas fuerzas, aun cuando parece que el laurel se le escapa. De este modo, madurará su femineidad.

¿Qué deberé hacer más adelante? ¿Inflamarla con palabras y volver a alejarla luego con cartas? Es preferible lo contrario ya que eso me dará ocasión de gozarla en los mejores momentos. Cuando ha recibido una carta mía, el dulce veneno ha penetrado en su sangre y basta una palabra para que el amor estalle en ella como una tempestad. Inmediatamente después, con la ironía hago brotar de nuevo la duda en su alma, pero no lo suficiente para que no continúe sintiéndose la vencedora.

En las cartas, la ironía conviene muy poco, en gran parte porque puede interpretarse de manera equivocada con suma facilidad, lo mismo que no es aconsejable dejarse extasiar en un coloquio. Cuando con una carta puedo penetrar más hondo en mi amada, mis movimientos son más fáciles y ella en cierto modo me puede confundir con el ser universal que vive en su amor. Además, en una carta podemos actuar con mucha mayor desenvoltura; por escrito, puedo echarme con suma facilidad a sus pies, etc., cosa que realizada en realidad me haría aparecer como un exaltado y toda ilusión iba a perderse.

La contradicción que necesariamente se deriva de esta doble acción, provocará el amor en Cordelia, lo agrandará y robustecerá; en una palabra, la inducirá a la tentación. Al comienzo, las cartas no deben tener un matiz demasiado erótico, sino una impronta más universal, contener apenas alguna alusión y despertar alguna duda. Mientras, a la primera ocasión le haré comprender que un compromiso tiene grandes ventajas pero también grandes inconvenientes. Y para este fin, en casa de mi tío me faltan caricaturas. Con ellas voy a atormentarla de tal modo que pronto se arrepentirá de haberse comprometido, pero no va a poder reprocharme que haya suscitado en ella tales sentimientos.

Hoy comenzaré con una cartita, en la que le mostraré brevemente su propia intimidad al describirle lo que en apariencia hay en mi corazón. El método es correcto y yo siempre actúo con método. A ustedes debo haberlo aprendido, a ustedes, adorables muchachas, a las que tanto amé antes; suyo es el honor y el mérito.

Toda muchacha es, de nacimiento, una maestra y aunque no se pudiese aprender de ella otra cosa, siempre se podría aprender el modo de engañarla. Y nadie más que una muchacha puede enseñárnoslo.

Cualquiera que sea la edad a que llegue, jamás olvidaré que un hombre puede decir que carece de razón para vivir, sólo cuando es tan viejo que ya nada puede aprender de una jovencita.

Mi Cordelia:

¿Dices que me imaginabas distinto?... ¿El cambio está en mí o en ti? Es posible que no sea yo quien haya cambiado sino los ojos con que me miras. ¿O será cierto que he cambiado?

Sí, en mí ha ocurrido una transformación porque te amo; y también ocurrió en ti porque eres la que amo. Antes, valiente y altivo, miraba todas las cosas a la luz fría y tranquila de la razón, jamás conocí el miedo; aunque los espíritus hubieran llamado a mi puerta, hubiera podido franquearles la entrada con toda tranquilidad. Pero ahora mi puerta no se ha abierto para fantasmas nocturnos, pálidos y exangües, sino para ti, mi Cordelia, y contigo entraron Vida, Juventud, Salud. Y ahora mi mano tiembla y no puedo sostener la lámpara con firmeza; debo huir delante de ti y, a pesar de eso, no consigo despegar mis ojos de tu persona. Sí, bien dices, estoy cambiado; ignoro lo que pueda significar esa frase, pero sólo sé que no iba a poder emplear ningún predicado más rico en significado y muchas veces debo repetirme misteriosamente:

—Estoy cambiado.

Tu Johannes.

Mi Cordelia:

El amor prefiere el misterio, el noviazgo, una manifestación; el amor gusta del silencio, el noviazgo es un bando; el amor ama el bisbiseo más quedo, el noviazgo es una proclama. Y sin embargo, justamente el noviazgo, con el arte de mi Cordelia, podrá convertirse en el recurso más precioso para engañar a mis enemigos. En una noche oscura en el mar, nada es tan peligroso como la linterna colgada en la nave, porque engaña aún más que las tinieblas.

Tu Johannes.

Cordelia está sentada en el diván, frente a la mesa del té, y yo cerca de ella. Su brazo se apoya en el mío, su pensativa cabeza descansa en mi hombro. En este momento está tan cerca de mí y, sin embargo tan lejos... Se me abandona pero no es mía. En ella, hay algo que aún se resiste: una resistencia refleja, no subjetiva. Es la habitual resistencia del ser femenino, pues es propio de la naturaleza de la mujer entregarse en forma de resistencia.

Está sentada en el diván, frente a la mesa del té, y yo muy cerca de ella. El corazón me palpita, pero sin pasión; el pecho se agita, pero sin inquietud; el color de la cara se altera pero con gradaciones apenas visibles. ¿Es, quizás, amor? No... Ella escucha y comprende. Escucha las aladas palabras y las comprende como si fuesen suyas propias, escucha la voz que encuentra ecos en su corazón y entiende el eco igual que si su propia voz, delante de ella y de otro, revelara su secreto. ¿Qué hacer? ¿Aturdirla? Desde luego que no: de nada iba a servir. ¿Robarle el corazón? Tampoco. Prefiero que conserve su corazón. ¿Qué hacer, por tanto? Deseo plasmar mi corazón en su imagen. Para deleite de la amada, un pintor pinta, un escultor esculpe; yo también puedo hacerlo espiritualmente. Ella ignorará que poseo esa imagen: en eso reside el engaño. La conquisté casi a escondidas y puedo decir que sólo de ese modo le robé el corazón, igual que Rebeca, según cuentan, robó el corazón de Labano, llevándose sus dioses familiares.

Las cosas que nos rodean, así como el marco de un cuadro, tienen mucha importancia, pues se graban en la memoria y en toda el alma, tan honda y firmemente como la misma tela y allí quedan inolvidables. Por muchos años que pasen, jamás podré imaginar a Cordelia en otro sitio que en esa pequeña habitación. Al visitarla, viene a mi encuentro desde su cuarto mientras yo abro la puerta de la sala; nuestras miradas se encuentran incluso antes de que yo cruce el umbral.

Esta habitación es bastante pequeña, pero muy agradable. Cordelia y yo nos sentamos en el sofá; desde allí, más que desde otros sitios, me agrada observar el ambiente. Delante, tenemos la mesa del té, cubierta con un hermoso mantel que cae en ricos pliegues hasta el suelo. Sobre la mesa hay una lámpara en forma de flor, una flor que abre su corola amplia y robusta; alrededor, cuelga un velo de finísimo bordado, que se mueve constantemente por lo muy leve que es. La forma de la lámpara me recuerda la flora de Oriente y el movimiento del velo, el aire suave de aquellos países.

En ocasiones, la lámpara se convierte casi en el *leit motiv* de mis ensueños y me parece estar allí con Cordelia, sentado bajo una flor luminosa... En otras, me lleva a fantasear la alfombra tejida con una extraña clase de juncos. Me imagino en el diminuto camarote de un barco,en el que Cordelia y yo vagamos por un océano infinito. Y como estamos lejos de la ventana, podemos mirar directamente el amplio y vacío cielo; eso aumenta la ilusión... Cuando estoy junto a ella, nacen y nacen y se desvanecen ante mí más de mil visiones.

El ambiente tiene, además, un especial valor para los recuerdos futuros. Debemos vivir cualquier amor, con tal perfecta intensidad como para evocar siempre a nuestro albedrío una imagen mental que encierra toda la belleza. Para eso hay que dedicar al ambiente especiales cuidados; y si no es tal como lo deseamos, es preciso saberlo acomodar a nuestros propósitos.

Con Cordelia y mi amor, los lugares armonizan de una forma especial. ¡Qué otro cuadro se me dibuja en la mente cada vez que pienso en mi pequeña Emilia! Sin embargo, también el lugar se adaptaba a ella perfectamente. Y aún la vuelvo a ver o, mejor dicho, la recuerdo siempre en el cuartito que daba al jardín. A través de la puerta abierta, el minúsculo jardín limitaba la vista y obligaba a la mirada a detenerse, antes de que pudiera vagar con atrevimiento y seguir el camino real que se perdía en la lejanía. Emilia era encantadora, pero menos interesante que Cordelia; en el ambiente que la rodeaba, todo parecía especialmente dispuesto para ella.

La mirada se mantenía sobre la tierra y no se lanzaba audaz e impaciente hacia adelante, sino que estaba detenida y descansaba en el breve espacio que formaba la parte delantera del cuadro. Y aunque el camino real se perdiera románticamente en la lejanía, los ojos se veían constreñidos aún más por eso a recorrer solamente el trecho de camino que tenían ante sí y, luego, volver atrás de nuevo, para seguir recorriendo otra vez la misma línea.

La perspectiva no debe tener límites allí donde vive Cordelia; armoniza con ella tan sólo la audaz inmensidad de los cielos. No debe sentirse atada a la tierra, sino vagar en el aire, no caminar, sino volar y no distraída, en cualquier sentido, sino siempre de manera directa hacia el infinito.

Nunca tenemos tanta ocasión de darnos cuenta de las estupideces de los novios como cuando estamos prometidos. Hace pocos días se me presentó el teólogo Hansen con la amable muchachita que en la actualidad es su novia. En seguida, me confió que es una criatura encantadora, cosa que ya sabía, y que la ha elegido para darle forma de acuerdo con el ideal que siempre había brillado en su mente.

¡Cochino teólogo!... ¡Y pensar que, en cambio, ella es una chiquilla tan fresca, floreciente y gozosa de vivir!

Aun siendo yo un viejo *practicus*, jamás me acerco a una muchacha sino como a una adorable hostia de la naturaleza y jamás se me ocurre enseñarle algo; de una muchacha sólo tengo que aprender. Y aun cuando tengo la oportunidad de ejercer sobre ella una acción dialéctica, no hago más que devolverle lo que de ella aprendí. El amor de Cordelia requiere que lo agiten, que lo empujen a abrirse en todos los campos, totalmente, y no que se lance a porciones de un lado a otro. Debe descubrir el infinito y aprender que el infinito es precisamente lo que está más próximo a la naturaleza humana; pero no ha de descubrir esa verdad a través del pensamiento, que para ella sólo significaría alargar el camino, sino a través de la fantasía, donde se encuentra el verdadero vínculo entre los dos, ella y yo; la fantasía, que en el hombre es apenas una parte y en la mujer, en cambio, lo es todo.

Cordelia no debe elevarse hasta el infinito a través de los trabajosos caminos del pensamiento, pues la mujer no fue creada para el esfuerzo y la fatiga, sino que deberá llegar hasta allí por la cómoda ruta del corazón.

El infinito, para la mujer, constituye una idea tan natural como la de que el amor ha de ser siempre feliz. Una muchacha, dondequiera que se vuelva, tiene siempre ante sí el infinito y para llegar a él no necesita más que dar un salto, un salto fácil, femenino, muy distinto del masculino. ¡Qué pesados suelen ser siempre los hombres! Deben tomar empuje, prepararse, medir la distancia, correr adelante y atrás varias veces para ensayar y adiestrarse. Al fin, saltan y... caen. Una muchacha salta de modo distinto.

En un lugar de montaña, sobresalen dos rocas sobre un espantoso abismo que las separa. Ningún hombre se atrevió jamás a dar ese salto; en cambio, lo realizó,según cuentan en la región, una muchacha, motivo por el cual lo llaman el Salto de la Virgen. Creo en esa leyenda sin vacilar, como creo en todos los grandes actos llevados a cabo por muchachas y mayor entusiasmo siento por ellas cuando oigo hablar al pueblo sencillo. Creo en todo, absolutamente en todo, hasta en milagros, tan sólo para tener pruebas de que la única y última cosa del mundo digna de que la admire y de que me asombre es una muchacha.

Para una muchacha, ese salto es tan sólo un paso; en cambio, el hombre tiene que estudiarlo antes y el excesivo esfuerzo de comparación con el espacio, le pone en ridículo. ¿Quién es el tonto que imagina que una muchacha necesita de tantos preparativos? Muy cierto que podemos imaginarla suspendida en el salto, pero para ella este salto es apenas un juego y un goce, ya que se muestra llena de gracia. Si, por el contrario, imagináramos que ella necesita tomar antes carrerilla, pensaríamos algo que no pertenece a la verdadera naturaleza de la mujer. Su salto es un vuelo en el aire. Y cuando ha llegado al otro lado no está agotada por el esfuerzo, sino que es aún más hermosa, más deslumbrante en el alma y nos lanza un beso a través del abismo. Joven, fresca, como una flor apenas abierta desde el seno de la montaña, se mueve sobre el abismo que nos parece muy negro y lleno de horror.

Cordelia debe aprender a moverse en el espacio sin límites, a volar y acunarse por sí misma en una plenitud de sensaciones, a confundir los frutos de su imaginación con los de la realidad, la verdad con la poesía, a dejarse llevar en el torbellino del infinito. Cuando se haya acostumbrado y comience a nacer en ella el amor, será como yo la deseo y la quiero. Entonces podré decir que se ha terminado para mí el período de servidumbre y de labor, y, recogiendo mis velas, navegaré con las velas de ella. Pues cuando la invada la embriaguez del amor, incluso el gobierno de la nave y la regulación de su curso van a ser suficientes para darme un trabajo nada leve.

Cordelia se siente muy incómoda en casa de mi tío. Varias veces me rogó que no la obligase a frecuentarla, pero de nada le valieron sus ruegos, pues siempre encontré un pretexto para llevarla allí.

Anoche, cuando volvíamos a casa, me apretó la mano con insólita pasión. Con seguridad, debió sufrir horriblemente. Yo tampoco podría resistir si no me divirtiese observando la afectación y la naturalidad de los demás.

He recibido una carta en la que Cordelia habla del compromiso con una ironía y una espiritualidad que no pude suponer en ella. Besé esa carta: de todas las que recibí en mi existencia, ni una sola me dio nunca mayor alegría. Si está bien, así quiero que ella sea...

Mi Cordelia:

¿Qué es la nostalgia? Los poetas se quejan porque están apresados por ella. Pero, ¡qué injusta su querella! ¡Como si pudiera sentir deseo y nostalgia solamente aquel que está en una prisión y no quien está libre! Puedo decir que estoy libre, libre como un pájaro y, sin embargo, no es fuerte el deseo que me asalta... Todo mi ser te invoca cuando corro hacia ti, te invoca cuando te dejo, te invoca cuando estoy a tu lado, con un deseo que es también sufrimiento. ¿Se puede desear algo, una cosa, en el mismo momento en que se la posee? Sí, porque se piensa que se podría perder un instante después.

Mi nostalgia es una perpetua impaciencia. Tan sólo cuando hubiese vagado una eternidad entera para asegurarme que me pertenecerás en cualquier momento, podría vivir en paz en el infinito, volviendo a ti.

Es cierto, ni entonces tendría suficiente paciencia para vivir un segundo separado de ti sin sentirme atormentado por la nostalgia, pero sí lo suficiente para vivir tranquilo a tu lado...

Tu Johannes.

Mi Cordelia:

Un coche se detiene delante de la puerta; es pequeño, pero me parece el mayor del mundo pues es lo suficientemente grande para los dos. Lo arrastra un tronco de dos caballos, más salvajes que las fuerzas de la naturaleza, más impacientes que mis pasiones, más audaces que tus pensamientos. ¿Quieres que te rapte, Cordelia? Ordena y te obedeceré.

No quiero robarte a unos hombres para llevarte a otros, sino para conducirte fuera del mundo. Los caballos suben por el aire, pasamos a través de las nubes, alcanzamos los cielos. Y algo en derredor gira en torbellino rumoreando: ¿es el estruendo del mundo que se mueve o el fragor de nuestro audaz vuelo? Si el vértigo vela tus ojos, Cordelia, consérvate apretada a mí que no lo sufro. Cuando nos podemos aferrar firmemente de un pensamiento, el espíritu no padece mareos; y yo sólo pienso en ti. Ni físicamente se siente el vértigo, cuando los ojos pueden fijarse en un objeto; y yo sólo te miro a ti. Aférrate a mí, Cordelia. Que se desmorone el universo, que desaparezca el liviano goce bajo nuestros pies; abrazados uno al otro, permaneceremos suspendidos en la armonía del infinito.

Tu Johannes.

¡Esta vez, verdaderamente, casi fue demasiado! Seis horas estuvo esperando mi criado y otras dos tuve que aguardar yo mismo durante la tormenta y bajo un aguacero tremendo, con el único propósito de seguir los rastros de esa amable jovencita que es Carlota Hahn... Todos los miércoles, entre las cuatro y las cinco, visita a una anciana tía. Y hoy, precisamente hoy, que tanto deseaba verla, no fue.

En todas las ocasiones que la encuentro, deja en mi alma una impresión muy especial. Cuando la saludo, se inclina de manera tan celestial y, sin embargo, tan inefablemente terrenal a la vez... Casi se detiene y se diría que está por caerse al suelo..., y, al mismo tiempo, hay en su mirada una aspiración hacia el cielo. Me siento invadido por una grave sensación, pero llena de un dulce deseo.

Por lo demás, la joven no me interesa en absoluto: la única cosa en ella que deseo es aquel saludo y nada más, aunque quisiera ofrecerme otras cosas. Pues ese saludo me brinda un tesoro de sensaciones que empleo largamente cuando me encuentro con Cordelia.

Mis cartas no dejan de tener resultados, pues sirven para ir cambiando a Cordelia espiritualmente, aunque aún no de un modo erótico. Para este segundo fin, convienen más los billetitos que las cartas. Cuanto más se acentúa el contenido erótico, más debe aumentar su brevedad, para que las punzadas amorosas puedan hacerse sentir mejor. Y, además, hay que evitar que su efecto pueda causar blandura o sentimentalismo; para refrenar perfectamente estos sentimientos sirve el anhelo de aquel dulce alimento que tanto ama. A través de los contrastes que yo he creado, lo que sólo era intuición se convierte en pensamiento y éste, aun siendo mío, le parece brotado de la íntima profundidad de su corazón. Y esto es lo que yo quiero.

Mi Cordelia:

En un lugar de nuestra ciudad vive una viuda con tres hijas. Dos de ellas acuden a Palacio, para aprender economía doméstica o cocina.

Estamos a comienzos del verano, alrededor de las cinco; se abre disimuladamente la puerta de la salita y una mirada escrutadora logra penetrar en ella. Una muchacha está sola ante el piano. La puerta permanece apenas entreabierta, de manera que se puede escuchar sin ser visto. La que toca no es una *virtuosa*, pues, en tal caso, habría mantenido la puerta bien cerrada.

La joven ejecuta una canción sueca: una queja por la breve duración de la juventud y la belleza. La juventud y la belleza de la muchacha están en contradicción con las palabras de aquella canción. ¿Quién tiene razón, la joven o la canción? Las notas suenan ligeras y dolorosas como un suspiro.

¡Mas no hay razón para tal tristeza! ¿Qué tienen de común una juventud tan floreciente y esas meditaciones? ¿Es que alguna vez la mañana y el atardecer tuvieron algo en común? Los dedos de la ejecutante tiemblan, las notas se elevan confusas... ¿Por qué tanto ímpetu y pasión, Cordelia?

¿Cuánto debe alejarse un acontecimiento en el tiempo para que su memoria se pierda por completo y ya no pueda asaltarnos la nostalgia de los recuerdos? La mayoría de los hombres se encuentran rodeados por un límite que les impide recordar las cosas demasiado próximas lo mismo que las demasiado lejanas. En cambio, para mí no hay límites. Si hubiera sentido hace mil años lo que ayer experimenté, tendría idéntica agudeza en la sensación.

Tu Johannes.

Mi Cordelia:

Confidente de mi corazón, debo confiarte un secreto. ¿A qué otra persona podría confiarlo? Desde luego, al eco no; me traicionaría. Tampoco a las estrellas: son demasiado frías y lejanas. Ni a los hombres: no iban a comprenderme. Tan sólo a ti te lo puedo confiar, pues sabrás conservarlo.

Conozco a una muchacha más hermosa que el sueño de mi alma, más pura que la luz del sol, más profunda que las fuentes del mar, más altiva que el majestuoso vuelo del águila...

Yo conozco a una muchacha... ¡Oh, apoya en mí la cabeza y acerca el oído a mis palabras, para que encuentre el recóndito camino de tu corazón...! Yo amo a esa muchacha más que a mi propia vida; ella es mi verdadera vida; más que a todos mis deseos; ella es mi único deseo. La amo más cálidamente de lo que, en la soledad, una alma angustiada ama al dolor... con más nostalgia de la que pueda amar la lluvia la ardiente arena del desierto; sí, con más ternura que la de los ojos de una madre al posarse en su hijo; más inseparable de lo que una planta se siente unida a sus raíces.

Tu cabeza se torna pesada y pensativa, se inclina sobre el pecho y el pecho se levanta casi para sostenerla... ¡Mi Cordelia! Tú me comprendes. ¿Querrás guardarme este secreto? ¿Puedo tener confianza en ti? Lo que te revele, vale para mí lo que la vida; es la misma riqueza de mi vida. ¿No tienes también tú un secreto que confiarme, tan pleno de significado, tan casto, tan hermoso, que ni las fuerzas sobrenaturales podrían hacérmelo traicionar?

Tu Johannes.

Mi Cordelia:

En el cielo hay nubes oscuras... nubes oscuras de tormenta, que parecen casi negras cejas contraídas en el rostro apasionado del cielo. Los árboles del bosque se agitan como si inquietos sueños les persiguiesen atormentados. En el bosque te perdí de vista. Ahora veo entre las plantas que se parecen a ti, pero que desaparecen apenas me acerco.

¿Por qué no quieres acercarte a mí, por qué no quieres aparecerte? Todo se confunde alrededor de mí; las líneas de la selva se tornan cada vez más vagas; lo veo todo como sumergido en un mar de niebla del que surgen seres femeninos y vuelven a hundirse en él; todos esos seres te asemejan. Y no te veo a ti a quien busco; pero me siento feliz porque hay algo que me recuerda tu persona.

¿De dónde procede todo esto?... ¿De la rica unidad de tu ser o de la pobre complejidad del mío?... Amarte, ¿no es tal vez amar un mundo?

Tu Johannes.

Realmente, tendría mucho interés la exacta reproducción de las conversaciones entre Cordelia y yo. Pero es imposible. Aunque recordase cada una de las palabras, no podría expresar lo que constituye la verdadera alma del discurso, es decir, los desahogos repentinos del sentimiento, las llamaradas de pasión, sin las cuales las palabras son un cuerpo sin vida.

En general, jamás me preparo pues eso sería contrario a la espontánea naturaleza de la conversación, en especial de la conversación amorosa. Pero cuando hablo, tengo siempre *in mente* el contenido de mis cartas y también el estado de ánimo que pueden haber provocado en ella. Naturalmente, nunca le pregunto si las ha leído y evito toda alusión directa; pero en mi discurrir hay siempre una íntima y secreta relación con ellas.

Acaba de ocurrir y aún sigue ocurriendo un cambio en Cordelia. Si tuviese que definir el estado actual de su alma, lo diría audazmente panteísta. La mirada traiciona en seguida su intimidad. La mirada atrevida, casi temeraria en la expectativa, parece mantenerse casi siempre pronta a una inmensidad de deseo y ver lo hipersensible. Como los ojos ven las cosas exteriores pasando más allá de sí mismos, la mirada de Cordelia cruza más allá de lo que está más próximo a ella y lo ve maravilloso.

Al mismo tiempo, hay en ella una actitud como de ensueño o de ruego, en lugar de la altiva e imperiosa de antes. Se diría que busca lo maravilloso fuera de su propio Yo, y en su búsqueda tiene algo suplicante, casi sintiéndose impotente para completar la evocación con sus solas fuerzas.

Pero yo debo impedir que se humille de este modo, para no lograr la victoria cuando aún no es el momento. Ayer me dijo que en mí hay algo de rey. ¿Es que desea inclinarse ante mí? No, eso no debe ocurrir en absoluto. Sí, Cordelia mía, algo de un rey se encuentra en mi ser; pero tú no puedes siquiera imaginar cuál es mi reino. Mando en las tempestades de las sensaciones; igual que Eolo, las encerré en la montaña de mi persona y las voy dejando desahogar, ora una ora otra.

Con las lisonjas que ahora le dedico, Cordelia conseguirá tener conciencia de sí misma y formarse el concepto de la diferencia entre *mío y tuyo*. Mas para servirme con oportunidad de las lisonjas hay que marchar con mucha cautela. A veces, debemos elevarnos a nosotros mismos, para ver que hay un lugar aún más alto; a veces, en cambio, debemos ponernos abajo.

¿Es que Cordelia me debe algo? No. Por otra parte, ¿debo desear que ella me deba algo? No, desde luego que no. En materia amorosa soy demasiado buen conocedor y tengo demasiada experiencia para admitir ideas estultas.

Cualquier muchacha es una Ariadna para el laberinto de su amo: tiene en sus manos el hilo que puede conducirla, pero no sabe servirse de él.

Mi Cordelia:

Ordena... Yo te obedeceré. Lo que tú deseas es una orden para mí; cualquier ruego que sale de tus labios, me convierte en esclavo tuyo. Y aun el deseo más fugaz de tu corazón es para mí un beneficio, porque no te obedezco con un espíritu servil. Si ordenas, tu voluntad cobra vida y con ella también cobro vida yo. Pues soy el caso y tu palabra es la luz.

Tu Johannes.

Mi Cordelia:

Sabes bien que me agrada hablar contigo mismo, ya que, entre todos mis conocidos, no hay otro más interesante.

Alguna vez hube de temer que el tema de estas conversaciones se agotara, pero ese miedo ha desaparecido ahora que te tengo. Ahora, tengo tanto tema que podría hablar conmigo mismo durante toda la eternidad; y de este modo hablaré del objeto más interesante con la persona más interesante... ¡Ay, yo no soy más que la persona más interesante pero tú eres el objeto más interesante!

Tu Johannes.

Mi Cordelia:

Tú crees que hace muy poco que te amo y temes que quizás antes que a ti haya amado a otras mujeres.

En ocasiones, en un antiguo manuscrito, el ojo afortunado descubre la primitiva escritura que permaneció invisible durante mucho tiempo, cubierta por tonterías posteriores. Por medio de sustancias ácidas, se quita la grafía sobrepuesta, y he aquí que los antiguos signos se vuelven más claros y visibles. De igual manera, tus ojos me han enseñado a encontrarme a mí mismo.

¡Que caiga totalmente en el olvido todo aquello que no te atañe! ¿Ves? He descubierto un antiquísimo y nuevo escrito divino; he descubierto que mi amor por ti es tan antiguo como yo mismo.

Tu Johannes.

Mi Cordelia:

¿Cómo puede seguir existiendo un reino destrozado por luchas intestinas? ¿Cómo puedo seguir viviendo en eterna lucha conmigo mismo?

Mi Cordelia, tú eres aquella razón por la que lucho, quizá para encontrar la paz en el bellísimo pensamiento de que estoy profundamente enamorado de ti. La dimensión enloquece en lo íntimo de mi corazón y el alma se siente destruida...

Tu Johannes.

¿Quieres huir, pequeña pescadora, y ocultarte entre los árboles? Levanta tranquila tu carga. ¡Qué hermosa eres, incluso cuando te inclinas hacia el suelo y qué natural gracia tienes! Cual en el movimiento de una danzarina, tus formas revelan tu belleza... Tu cintura es esbelta, alto el seno y todo el cuerpo igualmente esbelto. Nadie lo puede negar. ¿Imaginas que estas cosas cuentan poco y que las grandes damas son más hermosas que tú? No sabes, niña mía, cuán falso es el mundo. Veo ahora que vuelves a tomar tu carga y que penetras en la inmensa selva que se extiende durante millas y más millas hasta tocar, a lo lejos, las montañas azules. Tal vez no eres hija de un pescador, sino de una princesa obligada por los acontecimientos a servir a un mago que por crueldad te envía al bosque en busca de leña... Así, por lo menos, lo cuentan las leyendas. Pero, ¿por qué avanzas por ese camino? Si realmente eres hija de un pescador, deberás pasar ante mí, por este camino, para descender hasta la aldea.

¡Oh, continúo tranquilamente por el sendero que caprichosamente se interna entre los árboles! Mis ojos te siguen; vuélvete a mirar hacia mí que no te pierdo de vista... Pero no podrás moverme de este lugar, pues el deseo no me impulsa a seguirte y prefiero quedarme sentado aquí, al borde del camino, fumando tranquilamente haciendo juguetonas volutas de humo.

Puede que otra vez... Puede...

¡Cuánta malicia se refleja en tu mirada, al volver ligeramente la cabeza! ¡Cuánta seducción se adivina en tu paso leve!

Sí, lo sé, presiento a dónde se dirige tu camino... Allá, hacia la selva solitaria, donde hay tanta quietud, interrumpida solamente por el susurro misterioso de las hojas. ¿Ves? ni el cielo te favorece, porque ahora se está cubriendo de nubes y torna aún más oscuro el fondo del bosque y parece que, muy discretamente, quiera dejar caer una cortina entre nosotros...

Adiós, mi bella pescadora, adiós; te agradezco infinitamente tu amabilidad y ese momento de dulce sensación que me has proporcionado, que si no basta para que me levante del borde del camino, me ha conmovido muy íntimamente.

Mi Cordelia:

¿Cómo podría olvidarte? ¿Es tal vez obra de la memoria de mi amor? Aunque el tiempo borrase todo aquello que está escrito en sus páginas y aún desvaneciera su recuerdo, nada entre nosotros llegaría a alterarse y ni siquiera te olvidaría.

¿Cómo podría olvidarte? ¿Y de qué tendría que acordarme entonces? Me olvidé de mí mismo para pensar en ti; y si te olvidase, tendría que volver a pensar en mí, pero en ese mismo instante tu imagen iba a resurgir delante de mi alma.

¿Cómo te podría olvidar? ¿Qué es lo que ocurriría entonces?

Desde remotísimas edades nos quedó una imagen: representa a Ariadna que, levantándose de su yacija, persigue ansiosa una nave que se aleja a toda prisa, con las velas extendidas. Junto a ella, el Dios del Amor sostiene un arco sin cuerdas y se seca las lágrimas. Detrás de él, alada, está una figura femenina, con la cabeza cubierta por el casco. Por lo general, se cree que se trata de Némesis.

Contempla ahora el cuadro: apenas vamos a cambiarlo. Amor no llora y tiene la cuerda en el arco (acaso, ¿eres tú menos hermosa o menos triunfadora, tan sólo porque yo he enloquecido?); Amor blande el arco, sonriendo. Y así mismo Némesis ha de tender el arco, sin quedarse inerte a tu lado. En la antigua leyenda, a bordo de la nave hay un hombre atareado: se supone que es Teseo. Mi cuadro es muy distinto. Aquel que está en la popa de la nave fugitiva, mira hacia atrás con un infinito deseo y tiende los brazos hacia la orilla, lleno de angustia; ya se ha arrepentido o, más bien, se ha desvanecido su locura; pero la nave se lo lleva lejos. Cuantas veces Amor y Némesis tienden el arco, las flechas vuelan directas y juntas hasta herir peofundamente el corazón.

Esto significa que su Amor ha sido al mismo tiempo su Némesis.

Tu Johannes.

Mi Cordelia:

Me dicen que sólo me amo a mí mismo. Y eso es cierto, pero tan sólo porque te amo a ti; al amarte sólo a ti, amo cuanto te pertenece y, en consecuencia, debo también amarme a mí mismo. Si no me amase más a mí, no te podría amar más a ti.

A los ojos del mundo, esto parecerá expresión del mayor egoísmo: en cambio, para tus ojos iniciados la expresión de la simpatía se torna más pura, del aniquilamiento total del Yo.

Tu Johannes.

Con frecuencia temí que iba a hacer falta mucho tiempo para que Cordelia llegase al completo desarrollo de su ser: en cambio, advierto progresos notables. Desde ahora he de comenzar a maniobrar de modo que su espíritu no se entorpezca o no se debilite demasiado pronto...

No conviene andar por caminos trillados cuando se hace el amor; tan sólo el matrimonio puede mostrarse en las calles. Cuando se ama, se va por caminos poco frecuentados; el amor prefiere abrirse su propio camino. Se penetra en lo profundo de la selva; mientras caminamos allí del brazo, nos comprendemos, nos explicamos muchas cosas que antes nos hacían sufrir y gozar oscuramente... y no se sospecha de la presencia de un extraño.

¡Ah, esta hermosa haya fue testigo de nuestro amor y bajo su fronda os hicisteis la primera declaración! Todo aquí os recuerda, igual que si ocurriese ahora mismo, el instante en que os visteis por primera vez, mientras bailabais, os apretabais la mano, os separasteis al amanecer y no queríais confesaros nada de vosotros mismos y mucho menos a los demás...

Nada más agradable que escuchar esos dúos de amor...

Cayeron de rodillas a la sombra de ese árbol, jurándose mutuamente un amor sin fin y sellaron su pacto con el primer beso...

Se trata de emotivos instantes, de mucha fuerza, y de ellos me voy a servir con Cordelia.

Esa haya, por tanto, fue testigo de vuestras primeras promesas... Es innegable que un haya se presta muy bien a eso. Pero como testigo no vale gran cosa. Sin duda suponéis que también el cielo fue vuestro testigo pero el cielo, así tan solo, es una idea demasiado abstracta. Por ese motivo, a esos testigos aún se agregó otro...

¿Debo levantarme y pregonar mi presencia? No, pues quizás ellos me conozcan y lo mejor del juego iba a perderse... ¿O sería mejor moverse cuando se dispongan a irse y hacerles comprender que alguien presenció su conversación? No, tampoco eso sería conveniente. Queridos míos, vuestro secreto, lo juro, debe seguir envuelto en el secreto... por lo menos hasta que a mí me convenga...

Se encuentra en mi poder y yo voy a separarlos en cuanto quiera. Conozco su secreto. ¿Quién me lo reveló? ¿Por quién lo supe, por él o por ella? Por ella... parece imposible. Entonces, por él... ¡Qué horrible acción por su parte! Excelente. Es un hallazgo casi satánico. Ahora vamos a verlo. Si yo imaginase poder recibir de ella determinada impresión que de otro modo no tendría, es decir, una impresión normal, tal como yo la deseo, todo quedaría perfectamente resuelto...

Mi Cordelia:

Soy pobre...; tú eres mi riqueza; en la oscuridad del mundo... tú eres mi luz. Yo nada poseo y nada necesito. ¿Y cómo podría poseerlo? Iba a ser una contradicción que yo poseyera algo, cuando ni a mí mismo me poseo.

Ahora me siento feliz como un niño que nada sabe y que nada posee... Yo no poseo, sino que soy de otros; y soy tuyo y dejé de ser, para ser tuyo.

Tu Johannes.

Mi Cordelia:

Mía... ¿qué significa esa palabra? No es mío lo que me pertenece sino aquello a que yo pertenezco. Mi Dios no es el Dios que poseo, sino el Dios que me posee... Y así también cuando digo mi patria, mi pueblo, mi vocación, mi nostalgia, mi esperanza...

Si hasta hoy no hubiese existido la inmortalidad, la idea de que soy tuyo hubiera bastado para interrumpir en el infinito el curso normal de la naturaleza.

Tu Johannes.

Mi Cordelia:

¿Qué soy yo? Soy el humilde cronista que registra tus

triunfos, el bailarín que se inclina delante de ti, mientras te mueves con ligereza encantadora en la danza.

Soy la rama en que posas cuando el vuelo te ha cansado soy la voz más grave que acompaña a tu voz fina de ensueño y junta es llevada hacia las alturas.

¿Qué soy yo? La gravedad terrestre que te encadena al suelo, a la tierra. ¿Qué soy yo? Materia, tierra, polvo y ceniza... Y tú, mi Cordelia, eres espíritu y alma...

Tu Johannes.

Mi Cordelia:

El amor lo es todo: por eso para el alma enamorada cualquier otra cosa tiene solamente la importancia que le da el amor.

Si un prometido pensara más en otra joven que en su futura esposa, despertaría en esta hora, como si hubiese cometido un crimen, y él mismo se sentiría culpable de tal crimen. Si tú, en cambio, advirtieras algo parecido con respecto a mí, no verías en eso más que un homenaje, pues sabes muy bien que para mí iba a ser imposible amar a otra que no fueses tú.

Mi alma está completamente colmada de ti y por eso mismo mi vida adquiere otro sentido, se torna casi un mito que te glorifica.

Tu Johannes.

Mi Cordelia:

Mi amor me destruye y queda de mí tan sólo la voz, la voz enamorada, que susurra siempre que te amo.

¡Oh! ¿No te cansarás nunca de escuchar esa voz? Ella te rodea completamente, como mi alma meditabunda ciñe de cerca tu ser puro y profundo.

Tu Johannes.

Mi Cordelia:

En las antiguas leyendas se lee que un rico se enamoró

de una virgen. Esa es mi alma: un rico que te adora. Cuando está tranquilo, refleja tu figura en sus aguas profundas; imagina que la ha capturado y las olas se alzan gigantescas, temiendo que escapes; a veces se encrespan, jugando con tu imagen; a veces, cuando tu figura les falta, las aguas se vuelven turbias y les embarga la desesperación.

Así es mi alma: un río enamorado de ti...

Tu Johannes.

Varias personas se reunieron ayer en casa de la tía. Supe que Cordelia tomaría en sus manos una labor, por lo que oculté en ella un billetito. Se le cayó y ella lo recogió, conmovida por un suave temblor.

Cuando se sabe aprovechar la situación, es posible lograr infinitas ventajas. Incluso palabras más insignificantes, leídas en determinados momentos, cobran una gran importancia.

Durante toda la velada, Cordelia no pudo encontrar una ocasión para hablarme, pues hice de modo que tuviera que acompañar a una señora a su casa.

Por eso debió aguardar hasta hoy: la impresión le habrá penetrado muy hondo en el alma. A cada instante, parece que le rindo nuevas atenciones; y así estoy siempre en todos sus pensamientos y siempre la asombro.

¡Qué extraña resulta la dialéctica del amor! Una vez me enamoré de una muchacha; el año pasado, en Dresde, veo a una actriz que se le asemeja en forma extraordinaria. Desee, pues, conocerla, y lo logré, pero sólo entonces me di cuenta de que me había engañado en la presunta semejanza. Hoy, en la calle, he encontrado a una señora que me hizo pensar en esa actriz... Es una historia que puede repetirse hasta el infinito...

Mis pensamientos acompañan a Cordelia en todas partes: quiero que la rodeen como genios tutelares. Lo mismo que Venus llevaba sus palomas, ella estaba sentada en su coche de triunfo, que arrastran mis alados pensamientos. Ella está allí, rica y alegre como una niña, omnipotente como una diosa: yo la sigo de cerca.

En verdad, una joven es y sigue siendo lo que realmente hay de «venerable» en la naturaleza y en el universo entero. Nadie lo sabe mejor que yo.

Cordelia me sonríe, me saluda, me hace señas como si fuera una hermana. Una mirada es suficiente para recordarle que es mi amada.

El amor tiene muchas variaciones. Cordelia progresa. Se sienta en mis rodillas, me ciñe el cuello con un brazo suave y cálido, y se apoya en mi pecho. Ligeras, sin peso corporal, sus formas muelles me tocan apenas y me envuelven como una flor encantadora...

Su mirada se oculta detrás de los párpados; el pecho es más resplandeciente que la nieve, y tan liso que mis ojos no pueden posarse en él sin resbalar. El pecho se levanta. ¿Qué significa este movimiento? ¿Quizá frialdad? Quizás es un sueño, un presentimiento del verdadero amor. Pero el sueño aún carece de energía. Ella me abraza de un modo abstracto, igual que el cielo abraza a un santo, levemente; como el aliento del céfiro abraza una flor. Y su beso es indefinido todavía; así el cielo besa la mar; es dulce y leve: así el rocío besa una flor; es solemne: así la mar besa la imagen de la luna...

En este momento podría decir que su pasión es ingenua. Pero la situación debe cambiar ahora. He aquí como. empezaré por retirarme seriamente, aun cuando ella lo emplee todo para poderme encadenar. Para ello no tendrá más que recursos de amor, que, sin embargo, no deberán parecer en ella totalmente distintos: en sus manos se tornarán espada empuñada contra mí.

Ella luchará por sí misma, pues al verme en posesión del arte del amor, querrá vencerme y apoderarse de ese arte, pero tratando de poseerlo solamente en una forma elevada. Aquello que era solamente presentimiento indistinto de su corazón cuando la encendía con mi pasión, se convertirá ahora por mi frialdad en un concepto en su mente. Pero haré de modo que ella se atribuya a sí misma este resultado y crea con ello poder atarme a ella. Su pasión será entonces determinada, enérgica, dialéctica: su beso, comprensivo, su abrazo, indisoluble.

A mi lado, Cordelia encontrará la libertad, más grande la hallará cuanto más la sujete con mis ligaduras. Llegará así la hora en que el noviazgo tendrá que ser anulado. Cuando eso haya ocurrido, Cordelia necesitará paz por un tiempo, para que nada menos hermoso aparezca en esa época tempestuosa. Una vez más, ella podrá concentrar así su pasión y en ese instante será mía... Tal es mi plan...

Ya en la época del pobre Eduard, cuidé en dirigir en forma indirecta sus lecturas; ahora lo hago directamente, brindándole aquellas que me parecen el mejor alimento para ella: mitología y leyendas. También en esto le dejo entera libertad, pero sé prevenir sus más íntimos y secretos pensamientos. Y esto no resulta difícil, pues esos pensamientos le han sido inspirados por mí.

En verano, cuando las criadas pasean en grupos por el jardín zoológico, ofrecen generalmente un espectáculo bastante feo. Solamente una vez en el año les es concedido ese placer y desean disfrutarlo todo lo posible. Y así caminan en grupos, con el sombrerito y un chal sobre los hombros. La alegría es excesiva y se vuelve en seguida desenfrenada y vulgar.

Prefiero en cambio el jardín de Frederiksborg. Allí ellas pasean durante las tardes del domingo y yo voy con ellas; todo tiene allí un aspecto más fino y decente y la misma alegría es más calmada y noble.

Me parece que estos grupos de criadas son la fuerza defensiva más bella de Dinamarca. Si fuese rey, sabría qué hacer: nada de revistas y paradas de tropas de línea, sino una revista de criadas. Y si fuese uno de los treinta y dos consejeros electos de la ciudad, nombraría un comité de beneficencia con el fin de ayudar, de consejo y de obra, a todas esas muchachas para que encuentren un atavío más cuidado y de mejor gusto.

¿Será justo que la belleza pase tan inadvertida en la vida? Una vez por semana, deben resplandecer también ellas en su mejor luz. Ciertamente, se necesita gusto y discreción: una sirvientita nunca tendría que salir vestida de señora... Pero si lograse que madurase la clase de sirvientas, ¿no significaría también eso una ventaja para las señoras? ¡Oh, si pudiera llegar a esa edad de oro! Pasearía toda la jornada por las calles de la ciudad, sumergido en el goce de la belleza. Mis pensamientos se exaltan, se colman de audacia y patriotismo. Pero se explica: ahora me encuentro en el Frederiksborg, donde por las tardes del domingo las criadas se pasean y yo con ellas...

He aquí, en primera fila, las muchachas llegadas del campo: avanzan teniéndose de la mano con sus enamorados, o bien las muchachas van delante y los jóvenes detrás, o, tercera figura, un joven anda entre dos muchachas.

El primer grupo forma el marco. Las muchachas están de pie o sentadas con preferencia debajo de los árboles, delante del pabellón; son frescas y rebosan salud: solamente el color de la cara como el de los vestidos resulta un poco exagerado.

Luego, vienen las chicas de Jutlandia y de Fünen; de alta estatura, pero un tanto llenitas en demasía y un poco desordenadas en el vestir. El comité va a tener mucho que hacer con ellas. Tampoco faltan las representantes del distrito de Bomnolm: son robustas cocineras, a las cuales no hay que acercarse demasiado en la cocina ni en el Frederiksborg: tienen un porte que inspira cierta reserva. Su presencia es útil como contraste: noto su falta cuando no están pero cuando están prefiero alejarme de ellas. Ahora viene el grueso del ejército: las muchachas de Nyboder. Son pequeñitas y regordetas, delicadas de cutis, vivarachas, alegres, habladoras y algo coquetas... Visten casi como señoritas pero se distinguen de ellas porque carecen de chal y en lugar del sombrero llevan una graciosa cofia.

¡Oh, mira! ¡Buenos días, María! ¿Cómo la encuentro a usted aquí? ¡Cuánto hacía que no nos veíamos! ¿Siempre a gusto en casa del consejero? «Sí, señor». Una buena colocación, ¿no es cierto? «Sí». Y ¿cómo ha venido sola? ¿Es que no tiene a nadie que la acompañe... algún enamorado? Pero no... ¡imposible! Una muchacha tan linda como usted, que además sirve en casa de un consejero y viste tan bien... y con tanto gusto... ¡Oh, qué hermoso pañuelito! Es de tela finísima... Seguro que vale diez francos... Muchas damas elegantes no poseen uno tan bonito... Y guantes franceses... Y Sombrilla de seda... ¿Y una muchacha así no tiene novio? No, no, realmente es imposible.

Si no me equivoco, Jens la perseguía mucho a usted; ya sabe a quién me refiero: Jens, el que está con el comerciante al por mayor del segundo piso... Adiviné, ¿verdad? ¿Y qué? ¿Cómo es que no están prometidos? Jens es un buen mozo, tiene un buen empleo y quizá con una recomendación del príncipe podría llegar a guardia municipal o a encargado de la calefacción en algún palacio: no es un partido para despreciar... Pero usted fue demasiado dura con él; por su culpa fracasó...

Pero, ¿qué es lo que dice? ¿Cómo supo esas cosas de Jens? ¡Esos soldados, esos soldados! No se les puede tener confianza. Hizo usted muy bien... Realmente, no debía comportarse de ese modo con una muchacha como usted. Pero estoy seguro de que encontrará algo mejor...

¿Cómo está la señorita Jualiana? Hace mucho que no la veo. Mi hermosa María, usted puede darme noticias suyas. El que ha tenido un amor desdichado puede comprender los sufrimientos ajenos... Pero aquí hay demasiada gente para poder hablar de esas cosas... Alguien podría escucharnos...

Atienda un momento, mi bella María... Aquí hay un

sendero sombreado; aquí los árboles nos ocultan, aquí nadie nos ve y no oímos ningún rumor, fuera de un leve eco de música... Aquí podremos hablar en secreto... ¿No es cierto que si Jens hubiera sido menos pérfido, ahora irías del brazo con él, por esas avenidas, escuchando la música y, quizás, gozando aún más?... Pero, ¿por qué tanta excitación? Deja que Jens se pierda... ¿Deseas ser injusta conmigo que sólo he venido aquí para encontrarte? ¿Sabes? Solamente por ti visitaba tan a menudo al consejero. Lo habías advertido, ¿verdad? Y siempre pasaba por delante de la puerta de la cocina... Sé mía... y nuestra unión va a anunciarse desde el púlpito... Mañana por la noche te lo explicaré todo... Muy bien, la puerta a la izquierda, desde la escalera de servicio, justamente frente a la cocina... Por tanto, hasta mañana. No digas a nadie que me encontraste aquí: ahora ya conoces mi secreto...

Es una mujer verdaderamente linda y algo podré hacer con ella.

Una vez entre en su cuartito, pensaré en las amonestaciones. Siempre he procurado mantenerme fiel a mi hermosa ninfa griega y, en consecuencia, puedo pasarme sin el párroco.

¡Cómo me interesaría poder observar sin ser visto a Cordelia, en el momento en que recibe una carta mía...! Ya que en ese instante podría comprobar el efecto que en ella producen las artes amorosas.

De todos modos, estoy firmemente convencido de que las cartas son un recurso sin igual para causar impresión en una muchacha. Con frecuencia, la letra muerta tiene una influencia mucho mayor que la palabra viva: la carta es, desde luego, una misteriosa comunicación. Además, tenemos la enorme ventaja de ser dueños absolutos de la situación; nadie puede allí molestarnos. Y a una muchacha le agrada estar a solas con su ideal, sobre todo en los momentos en que el corazón está más vivamente conmovido.

Incluso cuando ha podido hallar en el hombre que ama la mejor encarnación de su ideal, siempre hay momentos en que tiene que sentir que en lo ideal hay una fascinación que la realidad jamás podría ofrecer. Hay que conceder, por tanto, a las muchachas estas fiestas de reconciliación; tan sólo hay que saber emplearlas de modo adecuado, de manera que ella no quede debilitada, sino más bien robustecida por la realidad. Para esto son muy útiles las cartas, con las que se consigue estar presente en espíritu en esos instantes de alta consagración; y al mismo tiempo, la imagen de la persona real de quien escribe llega a ser un paisaje natural y espontáneo para la realidad.

¿Podría sentirme celoso de Cordelia? ¡Desde luego que sí! Pero si considero el asunto desde otro punto de vista, debo contestar de modo negativo. Si algún día tuviese que verla echada a perder y distinta de lo que yo deseo, la abandonaría sin titubeos aun a costa de entregarle la victoria a un rival.

Un filósofo de épocas pretéritas decía que si cada vez pusiéramos por escrito todo lo que nos ocurre en la vida, podríamos convertirnos en filósofos sin darnos cuenta. Si es verdad, yo también, que he vivido en relación con muchos novios, deberé encontrar dicho fruto muy crecido. Por eso decidí reunir material para un libro que desearía titular: *Contribución a la teoría del beso, dedicada a todos los tiernos adeptos del amor*.

Es muy raro que todavía no existía una obra acerca de ese tema: estoy más que seguro de que, llevando a cabo mi propósito, llegaré a remediar una falta que se nota desde hace tiempo.

Por otra parte, ya puedo anticipar algunos detalles acerca de mi teoría.

Al tratarse del beso en el sentido estricto de la palabra, los actores han de ser la joven y el varón. El beso entre varones es insulso y, lo que es peor, desagradable. Creo, además, que más conviene para la naturaleza del beso, imaginar que un hombre besa a la muchacha y no que la joven besa al hombre. Cuando ambos casos se vuelven idénticos con el tiempo, el beso ha perdido significado y valor. Esto puede decirse en especial a propósito del beso de uso doméstico que cambian los esposos, que sirve a maridos y mujeres para limpiarse la boca a falta de servilletas y que suena igual que un «buen provecho», al final de la comida. Si, además, la diferencia de edad es muy notable, al beso le falta su verdadera esencia...

El beso debe ser documento de cierta pasión, por lo que no es un verdadero beso el beso entre hermano y hermana, en especial si se trata de mellizos; y lo mismo puede decirse con respecto a los besos dados como prenda de juego o robados de sorpresa.

Como acto simbólico, el beso pierde su sentido, si no lo acompaña el sentimiento del que es expresión y éste puede existir tan sólo en determinadas condiciones.

Y si se quieren dividir los besos en varias categorías, se puede recurrir a los más diversos principios de clasificación. Por ejemplo, se pueden dividir según el sonido. Por desgracia, nuestro lenguaje es insuficiente para expresar las observaciones que hice acerca de eso y dudo mucho de que los demás idiomas que se hablan en la tierra tengan un tesoro de palabras onomatopéyicas que baste para consignar todas las distintas tonalidades de la escala musical del beso. Los hay ruidosos, sonoros, estallantes, gruñidores, detonantes, suspirados, pegadizos, sombríos, suaves como la seda, etc., etc.

También se puede establecer una gradación según los distintos contactos: por eso hay el beso que desflora apenas, el que se da apretando fuertemente con los labios, el que se da *en passant*... Para otra categoría se puede tomar como índice el tiempo: por tanto, besos breves y largos. Y, por lo que se refiere al tiempo, se puede aún trazar otra divisoria, que es precisamente la única que me agrada: es decir, la «diferenciación» del primer beso de todos los que le siguen. Por lo demás, el primer beso es también cualitativamente diferente a los otros.

Pocos son, en verdad, quienes tengan verdaderamente en cuenta esas cosas...

Mi Cordelia:

Como dice Salomón, una buena respuesta es igual a un dulce beso. Y, ya lo sabes tú, yo formulo mal mis preguntas: más de una vez me lo han dicho. Pues no comprenden lo que yo pregunto. Tú, tan sólo tú lo comprendes y sabes dar la respuesta que deseo y sólo tú sabes darme la buena respuesta pues, como dice Salomón «una buena respuesta es como un dulce beso».

Tu Johannes.

Hay una gran diferencia entre erótica espiritual y terrenal. Hasta ahora traté de desarrollar la espiritual en Cordelia. Pero desde hoy mis relaciones con Cordelia tendrán que cambiar: mi presencia no ha de servirle ya de acompañamiento, sino para inducirla a la tentación.

En estos días no he hecho más que prepararme, utilizando a favor mío el famoso pasaje de *Fedro* sobre el amor. Todo mi ser quedó electrizado como por un magnífico preludio. ¡Verdaderamente, Platón tenía un pleno y perfecto conocimiento de la ciencia amatoria!

Mi Cordelia:

Los latinos decían de los escolares atentos que éstos penden de la boca del maestro. Todo sirve de parangón al amor, pero en el amor, el parangón se convierte en realidad. ¿Crees tú que soy un discípulo atento? No me respondes.

Tu Johannes.

Mi Cordelia:

«Mía... tuyo»: estas palabras encierran como dos paréntesis el pobre contenido de mis cartas.

¿No advertiste ya cómo el intervalo entre ambos signos se torna cada vez más breve? ¡Oh, mi Cordelia!

¡Es hermoso, no obstante, que cuanto más breve se vuelve el contenido del paréntesis, tanto más rico se torne en significado!

Tu Johannes.

Mi Cordelia:

¿Un abrazo es una batalla?

Tu Johannes.

Casi siempre, Cordelia queda callada y de este silencio le estoy muy agradecido. Su femineidad es demasiado profunda para que pueda volverse molesta con el hiato, figura de la oración propia de la mujer, cuando el hombre, que debería representar las consonantes que encierran la vocal, precediéndola o siguiéndola, es también débil cual una mujer.

Con frecuencia, un movimiento muy ligero de Cordelia me revela todo lo que hay oculto en ella. En esos momentos, voy en su ayuda, igual que quien está al lado de alguien que con mano insegura se esfuerza en trazar los contornos de su dibujo y, más experto, corrige las líneas, para darles una perfección más genial.

Yo siempre la estoy vigilando, me apodero de todos sus gestos, incluidos los más ocasionales, de cualquier palabra aun muy breve para devolvérsela más profunda de sentido: ella se sorprende, pero siente que ese pensamiento era suyo y le pertenecía: lo reconoce y, al mismo tiempo, no lo reconoce.

Mi Cordelia:

¿Crees tú que posando la cabeza en la colina de las ninfas, se ve en sueños la imagen de alguna de ellas? Lo ignoro, pero sé que cuando apoyo la cabeza en tu pecho, al levantar la mirada veo el rostro de un ángel. ¿Crees tú que cuando se ha apoyado la cabeza en la colina de las ninfas ya no se puede descansar tranquilo? Yo no lo creo pero sé que si apoyo mi cabeza en tu seno, éste se agita mucho y el sueño no viene a mis ojos.

Tu Johannes.

Alea jacta est. Ahora, se hace realmente necesario llegar a una solución.

Hoy fui a casa de Cordelia. Me encontraba tan vivamente emocionado por mi idea que no tenía para ella ni ojos ni oídos. También Cordelia sentía tanto interés que semejaba encadenada. Si al intentar esta nueva maniobra hubiera asumido un aspecto frío, indiferente, me habría comportado como un loco.

Cordelia, cuando quedó sola y no ya ocupada totalmente con la idea, tuvo que notar que hoy no tenía para con ella la misma actitud de costumbre. La impresión dolorosa de ese descubrimiento tendrá sobre ella un efecto más fuerte en cuanto tendrá lugar en una hora de soledad.

Al principio, no podrá desahogarse y luego se acumularán en su mente demasiados pensamientos para que pueda formularlos todos al mismo tiempo, de manera que tendrá que quedarle en el alma una sombra de duda. Mientras así aumenta su inquietud, suspenderé las cartas; lo que constituyó su alimento amoroso, se hará cada vez más escaso y su mismo amor se verá tratado como cosa irrisoria. Tal vez ella desee seguirme también en esas circunstancias, pero seguramente no podrá resistir largo tiempo. Entonces, buscará otro camino y tratará de atarme a ella con los mismos recursos que yo utilicé, es decir, con las artes del amor.

Si se le pregunta a una muchacha, aún casi una niña, cuándo se puede y cuándo se debe romper un compromiso, se recibirán respuestas dignas de una gran casuista. Las muchachas jamás están desorientadas acerca de ese argumento, que sin embargo, no forma parte de los programas escolares. Pese a todo, quisiera inscribirlo entre los temas de enseñanza en las últimas clases. Es cierto que en las escuelas femeninas superiores hay bastante trabajo, pero desde luego iba a servir para abrir un campo más amplio a su inteligencia. Además, se podría ver de este modo cuándo una muchacha ya está madura para el noviazgo.

Cierto día tuve ocasión de pasar una hora muy interesante.

Como hacía con frecuencia, fui a visitar a unos conocidos; en ese día, los más ancianos de la familia habían salido y estaban en casa tan sólo las dos muchachas, quienes invitaron a varias amigas a tomar café. Eran ocho, todas entre los dieciséis y los veinte años. Con toda seguridad, no esperaban visitas; puede que incluso hubieran dicho a la criada que ni las hiciera pasar. Pero yo entré a pesar de todo y advertí en seguida que mi presencia las dejaba un poco desconcertadas. ¡Dios sabe qué tienen que decirse las jóvenes cuando se reúnen! En ocasiones, también las mujeres casadas se reúnen, pero o bien hacen alguna lectura espiritual o bien, lo que ocurre con mucha más frecuencia, se ocupan de cosas de gran importancia, como por ejemplo, si es mejor pagar al carnicero todos los días o tan sólo a fin de mes, si se puede permitir a la cocinera que tenga un enamorado y, cuando lo tienen, cómo hay que arreglárselas con esa erótica que retrasa la comida...

Conseguí un lugar entre la graciosa compañía. Estábamos a principios de primavera. De vez en cuando, el sol lanzaba un tenue rayo, mientras que en la habitación aún había algo invernal. En torno a la mesa, en la que el café despedía olorosas nubecillas, estaban sentadas aquellas muchachas, alegres, frescas, en pleno florecer, desenfrenadas de júbilo. Muy pronto depusieron el primitivo sentimiento de temor y de sorpresa que causó mi llegada, pues se sentían bastante fuertes ante cualquier eventualidad, incluso en el caso de que hubiese algo que temer.

Me esforcé en dirigir el interés general y la conversación hacia el tema de los casos en que hay que anular un noviazgo. Mientras mis ojos gozaban con el placer de poder pasar de una flor a otra en aquella alegre compañía, deleitándose con las distintas bellezas, al abandonarse a la armonía de las voces, gozaba el oído exterior y también el interior escuchaba con placer y atención lo que se decía. Una sola palabra me era suficiente para mirar muy hondo en el corazón y en la vida de aquellas muchachas aún tan sencillas. ¡Cuánta seducción hay en el camino del amor y qué interesante es ver el trecho que cada uno ha recorrido!

Aunque yo insistiera en el argumento y espiritualidad, desenvoltura y estética objetividad, lo que contribuyó a dar un tono más libre a la conversación, los límites de lo lícito, no obstante, jamás se traspasaron.

A veces, yo imprimía a mis ideas un matiz melancólico, otras, en cambio, lo devolvía a la desenfrenada alegría o suscitaba un duelo dialéctico. ¿Y qué tema, si lo estudiamos atentamente, puede resultar más rico en variaciones? Y así hice yo seguir sin cesar un argumento tras otro.

Al fin, les di a resolver varios casos difíciles. Para mí era un deleite ver cómo aquellas muchachas esforzaban su cerebro para aferrar el sentido de mis palabras, con frecuencia enigmáticas. Comprendí muy bien que algunas entre ellas me entendían perfectamente. Si se trata de saber cuándo debe romperse un noviazgo, cualquier muchacha se convierte al instante en una gran casuista; y quizá fuera más fácil discutir con el diablo...

Hoy fui a ver a Cordelia. Reanudé en seguida el mismo discurso que tanto nos subyugó ayer, con el fin de poder provocar en ella idéntica sensación de éxtasis.

—Ayer mismo —comencé por decir— quise hacer una observación pero tan sólo se me ocurrió cuando ya me había ido.

Estas palabras causaron un efecto instantáneo.

Mientras estoy a su lado, me escucha con deleite, pero cuando me alejo adiverte mi cambio y se da cuenta de que la han engañado. De este modo, se retiran las acciones que se han puesto en circulación: el sistema, indudablemente, no es muy leal, pero sirve muy bien al fin, como todos los métodos indirectos.

Oderint, dum metuant, odiarán mientras teman, se dice, como si el temor y el odio pudieran estar juntos y no pudieran estarlo el amor y el temor. Aun más, allí donde comienza el temor, es donde el amor se torna más interesante.

¿No está el amor, quizá, mezclado con una secreta ansiedad que tenemos por la naturaleza? Pues su armonía procedió del caos salvaje, su seguridad de la desdicha de los elementos. Y es precisamente esta especie de aprensión lo que nos mantiene atados y unidos. Lo mismo debe ocurrir en el amor para que tenga valor: es una flor que nace de una noche profunda y espantosa. Así posa su blanco cáliz el nenúfar en la superficie del agua, mientras las raíces se hunden abajo, en una oscura sombra de la que huye la mirada.

He advertido con frecuencia que, pese a que Cordelia me llama «mío» en sus cartas, jamás tiene el valor de decírmelo en voz alta. Le he pedido que lo hiciese en la forma más insinuante y cálidamente erótica. Lo intentó, pero un relámpago rapidísimo de mis ojos fue suficiente para que lo hiciera imposible, pese a que yo seguía insistiendo.

¡Cordelia mía! No lo confío, según es costumbre, a las estrellas pues no entiendo qué interés puedan tener en eso aquellos mundos tan lejanos. Aún menos se lo confío a los hombres, ni tampoco a ella. Yo mismo me guardo para mí ese secreto, no lo comento más que conmigo mismo, y aún en voz baja, incluso en mis soliloquios más secretos.

La resistencia de parte de Cordelia no fue tan grande como imaginaba: en cambio, es maravillosa la fuerza de amor que desarrolla. En su profunda pasión, se muestra encantadora, interesante, grande, casi sobrenatural. ¡Con qué maravillosa rapidez sabe moverse para esquivar los golpes y con qué agilidad evita los puntos peligrosos! Así, alrededor de ella nada se mantiene inmóvil, y en este agitarse de los elementos también yo me siento en mi «elemento».

Pero en esa continua agitación ella se mantiene siempre perfecta en su hermosura, no perdida en las tempestades del alma, no distraída en los momentos decisivos. Es una Anadiomene, que, sin embargo, no se levanta de entre las olas del amor con ingenuo encono y no perturbada calma, pero se siente agitada por ellas, como Urania, *saevis tranquilla in undis*, tranquila como las ondas crueles. Está completamente armada con las armas del amor, y combate con flechas en los ojos, la imperiosidad de las cejas, la misteriosa seriedad de la frente, el fatal encanto de los brazos, el ruego suplicante de los labios maravillosos, la sonrisa de las mejillas, el aroma de la dulce nostalgia que emana de todo su ser. Hay en ella una fuerza, una energía, semejante a la de una valkiria, pero amorosamente templada por la languidez difusa de toda su persona.

Cordelia no debe continuar oscilando en una altura donde sólo el temor y la inquietud la retienen y la impiden caer. En tales circunstancias, el compromiso constituye una angustia y un impedimento, más que otra cosa. Cuando también ella lo sienta, y va a ser pronto, se convertirá en tentadora y me incitará a superar los lindes de lo habitual. De este modo, Cordelia podrá conocer lo que está más allá de esos lindes y tal cosa es lo que deseo.

Actualmente, y con alguna frecuencia en sus conversaciones, me permite comprender que para ella el compromiso es una espina. Eso jamás escapa a mi oído: sus palabras son para mí como espías que me traen noticias de su ánimo, a fin de que yo pueda arreglármelas para apresarla en mis redes.

Mi Cordelia:

Te quejas del noviazgo y crees que para nuestro amor un vínculo solamente exterior es del todo inútil, y aún perjudicial. ¡Esta idea es realmente digna de ti, mi buena Cordelia! Verdaderamente te admiro.

Nuestra unión externa sólo consigue separarnos. Es un muro que se alza entre nosotros y nos mantiene aislados, como a Píramo y Tisbe. Y ni siquiera podemos gozar del amor, pues nuestro secreto es conocido por todos y, por eso mismo, ya no es un secreto.

Solamente cuando los extraños no puedan sospechar siquiera nuestro amor, éste adquirirá su justo valor y será plenamente feliz.

Tu Johannes.

Muy pronto las ligaduras del compromiso serán quebradas: la propia Cordelia lo hará para tenerme más sujeto.

Si, en cambio, esto ocurriese por obra mía, no se me permitiría ver ese «salto mortal», seductor y atrevido, que va a realizar su amor; eso hubiera sido tanto más lamentable por cuanto no tendría una prueba segura de la audacia de su alma. Y esa certidumbre es la que más me importa.

Además, si yo diera ese paso, todo el mundo descargaría sin justa razón su odio y su desprecio sobre mí. Digo «sin justa razón» pues ¿iba a ser tan grave en verdad el mal que yo causaría? Cuántas muchachas se sentirían felices si todo lo que hice lo hubiera hecho con ellas.

¡Más de una muchacha que jamás, ni siquiera una sola vez, estuvo prometida, se sentiría feliz de haber llegado tan cerca de la meta de sus sueños! ¡Hay tantas muchachas amables que se aburren de un modo horrible en la vida sencilla y tranquila de sus casas y no esperan más que un acontecimiento cualquiera que las arranque de tanta monotonía! Nada hay más apropiado para este fin que un amor desdichado sobre todo si el corazón se resiente de un modo excesivo...

En tal caso, ellas que ya se ven, y al bondadoso prójimo con ellas, en el número de las muchachas engañadas y casi obligadas a buscar refugio en un hospicio de Magdalenas, se rodean de coro de lloronas. Odiarme, se convierte, de este modo, casi en una obligación general.

Hay, además, otra categoría de engañadas: es decir, aquellas a las que sólo se engaña a medias o en dos tercios. Aquí encontramos varias gradaciones: desde las que poseen un anillo como prueba de amor desilusionado, hasta aquellas que apenas pueden recordar un apretón de manos en una contradanza. Un nuevo abandono consigue abrir nuevas heridas... En mi caso, en cambio, el abandonado soy yo; y todas las muchachas tendrán compasión de mí, suspirarán por mí, y yo con ellas, de manera que pronto podré encontrar una nueva presa.

¡Qué cosa más extraña! Con cierto dolor me di cuenta de que estoy a punto de tener esa marca que Horacio deseaba a todas las jóvenes infieles, es decir, un diente negro. ¡Y el mío, es justamente, uno de los más visibles! Ese diente me intranquiliza de veras; no puedo siquiera soportar la más disimulada alusión a ese respecto: ha llegado a ser mi talón de Aquiles.

Yo, que me siento acorazado bajo todos los aspectos, puedo verme herido así por cualquier imbécil y mucho más en lo hondo de lo que se podría creer. Por todos los medios, intento volverlo blanco, pero en vano y con Palnatoke y Oelschläger, debo decir:

«Y de día y de noche voy raspando pero no se borra la sombra negra...»

La vida está increíblemente llena de enigmas. ¡Un hecho tan insignificante puede contrariarme más que una verdadera calamidad! Me haré arrancar ese diente, aunque deba resentirme al hablar y la voz quede debilitada.

Me siento verdaderamente feliz pues el compromiso comienza a disgustar a Cordelia. Aunque el matrimonio lleve consigo el aburrimiento, continúa siendo siempre una institución digna de respeto; tanto, que, gracias a él, hasta la juventud adquiere a los ojos del mundo cierta consideración que de otro modo no lograría más que con el correr de los años. El noviazgo, en cambio, es una invención netamente humana, por lo que, al mismo tiempo, es importante y ridícula. Por tanto, si resulta lógico que una muchacha apasionada lo desprecie, tiene que reconocer así mismo su importancia, cuando siente la energía de su alma casi encerrada en él por una red.

Ahora es preciso saber llevar a Cordelia de manera que su audaz vuelo pierda de vista el matrimonio y la tierra firme de la realidad. Entonces, su alma, tanto por orgullo como por temor, alejará de sí lo que simplemente es imperfecta creación humana, para elevarse a lo que es superior a lo humano. No debo temer: ¡Cordelia va tan ligera y alada por el camino de la realidad! Además, estoy siempre, a bordo de la nave, preparado para arreglar y regular las velas en la veloz carrera.

Creo que se podría vivir constantemente absorto en la contemplación de un ser femenino. Quien no admita esto o de tal contemplación no sepa extraer una sensación placentera, podrá serlo todo, menos un verdadero esteta, pues lo que hay de más admirable, de más divino en la estética, son precisamente las relaciones de íntima vinculación en que se halla con lo bello de la realidad.

Cuando a los ojos de la mente se me aparece el sol de la belleza femenina, que resplandece y se divide en infinidad de irradiaciones, siento en el alma un inefable deleite. Es una asombrosa riqueza de gracia femenina; cada mujer encierra en sí misma una pequeña parte de ese tesoro, pero esta parte está tan íntimamente fundida en ella que armónicamente se une al resto de su ser.

De este modo, el conjunto de la femineidad se va subdividiendo en infinitas partes de belleza. Pero también cada partícula aislada debe gobernarse por las leyes de armonía; de otro modo, nuestras impresiones son perturbadas y podemos creer de una muchacha que la naturaleza ha comenzado a hacer algo con ella, para luego abandonarla aún en estado de esbozo.

Mis ojos jamás se cansan de contemplar las irradiaciones de la belleza femenina, infinitas y dispersas. Cada muchacha es una de ellas y aun siendo una parte, es un ser completo en sí mismo y por eso, feliz, alegre y bello.

Todo rayo de femineidad resplandece con su particular belleza, encierra en sí una propiedad esencial; sonrisas alegres, miradas maliciosas, ojos escrutadores, cabeza inclinada, liviandad desenfrenada, tranquila tristeza, profundos presentimientos, nostalgia terrenal, cejas amenazadoras, frente misteriosa, labios inquisitivos, rizos seductores, fiereza celestial, timidez terrena, pureza angelical, ligeros sonrojos, paso leve, movimientos encantadores, actitudes lánguidas, deseos ensoñadores, suspiros inexplicables, persona ágil, formas muelles, pechos ondulantes, pies pequeños, manos subyugantes; todo esto son partículas disperas y propiedad de la belleza femenina. Todo rayo de belleza tiene su cualidad esencial propia.

Cuando he estado absorto en esa meditación largo rato y muy profundamente, cuando he sonreído y suspirado, lisonjeado y amenazado, anhelado y tentado, reído y llorado y perdido, veo los átomos dispersos refundirse en un conjunto armonioso y mi alma se colma de alegría y deleite y mi corazón tiene palpitaciones más violentas y la pasión estalla en llamaradas en mi pecho... Algún día trataré de definir al ser femenino. ¿Y qué definición puede adecuarse mejor? La de un ser cuya finalidad está en otro ser. Seguramente, esto que digo puede ser entendido mal.

La mujer es un ser que existe para otros seres. También en este caso no hay que dejarse llevar a engaño por experiencias personales y no se podría debilitar mi afirmación de principios, objetando que rara vez ocurre besar a una mujer que realmente exista para los otros, pues hay muchas mujeres que no existen ni para sí ni para los demás...

Esta función extrínseca de sí misma está compartida por la naturaleza, con todo lo que es femenino. La naturaleza tampoco es un fin en sí misma...

Así podemos comprender el significado del acto de Dios con el cual cerró los ojos de Adán en un profundo sueño y él creó a Eva, pues la mujer es el sueño del hombre. Y la mujer no salió de la cabeza del hombre, sino de sus costillas y se convirtió en carne y sangre. Nace a la vida con el primer contacto del amor; antes no es más que un ensueño. Y en esta existencia vemos dos estados distintos: primeramente el amor sueña con ella, después ella sueña con el amor.

Especialmente por su virginal pureza, la mujer es una criatura cuyo fin último está colocado fuera de sí misma. Por tanto, la virginidad, hasta que existe en sí misma, es abstracción y sólo nos aparece como relación.

Esto puede referirse también a la inocencia femenina; más aún, en ese estadio podemos decir que la feminidad permanece invisible. Se sabe que en los tiempos antiguos no hubo la menor imagen de Vesta, diosa y símbolo de la virginidad más esencial. Pues ese estado del ser es, por razones estéticas, celoso de sí mismo, igual que Dios lo es éticamente, y no permite que sea una imagen suya o aun una simple representación.

La contradicción de que un ser que es real tan sólo para los demás no exista por sí mismo y sólo se torne visible gracias a los demás, es, lógicamente, exactísima y quien piensa de modo lógico no sólo no puede encontrar nada que objetar, sino que se deleita en ello.

La razón de ser de la mujer, la palabra existencia iba a decir demasiado, ya que no tiene vida propia, la comparan los poetas a una flor, expresión que recuerda vida vegetal y realmente en ella también el espíritu tiene algo de vegetativo. Ella se encuentra contenida en los límites de la naturaleza y jamás los excede; no es, por tanto, libre más que de un modo estético.

Sólo comienza a ser libre por el varón, en el sentido más hondo: de ahí que en algunos idiomas se emplee la palabra «liberar» para designar el acto por el que el hombre pide a la mujer como esposa, ya que quien libera es el hombre. Quien elige, en cambio, es la mujer, pero esta elección suya es el resultado de una larga reflexión, no es más elección femenina.

Para un hombre es muy vergonzoso que le rechacen: presumió mucho por pretendía liberar a otra persona, pero no estaba en condiciones de hacerlo.

En todas esas relaciones se oculta una profunda ironía.

El ser que existe tan sólo para los demás es el que domina: el hombre «libera», pero la mujer elige. La mujer cree que la conquistan y el hombre ser quien vence; sin embargo, el vencedor se inclina ante la vencida.

Esto tiene una profunda razón de ser. La mujer es sustancial y el hombre reflexión. Y así la mujer no elige sin más: primero, el hombre «libera» y luego la mujer elige. Pero el «liberar» del hombre es como una pregunta y la elección de la mujer como una respuesta a esa misma pregunta. En cierto sentido, el hombre es mucho más que la mujer, pero en otro es infinitamente menos.

El estado en que el ser femenino, aún no ha alcanzado lo que constituye su finalidad, es decir, el fin de ser «transfigurada» en otro ser, es el estadio de la pura virginidad. En cambio, la mujer que busca una existencia individual frente al hombre, para quien ha sido creada, se vuelve repugnante y digna de mofa, lo que evidencia que el verdadero fin de la mujer es existir para otros.

La contraposición diametral de la entrega absoluta es el desprecio absoluto, invisible sin embargo, como una abstracción contra la cual todo se quiebra, sin que esa abstracción se torne por ello visible. La feminidad toma entonces el carácter de abstracta crueldad que es como el contraste irónico con la propia dulzura de la virginidad.

Un hombre no puede ser nunca tan cruel como una mujer. Basta con pensar en las distintas mitologías, en los cuentos y leyendas populares para confirmarlo. Si se quiere dar la imagen de una fuerza de la naturaleza cuya crueldad no conozca límites, hay que buscar un ser virginal. Nos impresiona leer la historia de una muchacha que hizo que le quitaran la vida a sus adoradores sin la menor emoción. Es cierto que el caballero Barba Azul mata, la misma noche de bodas, a las doncellas que amó, pero no experimenta ningún placer en eso, más aún, lo hace con toda justicia pues, para él, ha concluido ya el deleite. Esto caracteriza el concepto de la crueldad por la crueldad. Un don Juan seduce a las muchachas y después las abandona, pero no es el abandono lo que le satisface, sino la seducción; no se puede decir, por tanto, que ésta sea una crueldad absoluta.

Cuanto más reflexiono acerca de este tema, más advierto que mis teorías, fundadas en la profunda certeza de que la mujer, por su propia naturaleza, es un ser cuya única finalidad está en ser de otro, se hallan en perfecta armonía con la práctica. Pero debo hacer observar la infinita importancia que en este terreno tiene el momento, pues ser para otros es siempre una cosa inmediata. Este puede llegar antes o después, pero cuando ha llegado, el ser que existe para otro tiene que convertirse en ser relativo, deja, en consecuencia, de existir.

Y en eso se equivocan los casados que creen que también en otro sentido la mujer es un ser para otros, es decir, que debe serlo todo para ellos durante su vida. Y también los hombres casados deben admitir que esto es mera ilusión...

Todos los estados sociales tienen hábitos y mentiras convencionales. También, por tanto, el grueso latín de algunos maridos. El instante lo es todo y en el instante lo es todo la mujer: ¡no comprendo por qué se buscan consecuencias! ¡Incluso nos preocupa la consecuencia de si nacerán o no los hijos! Creo ser un pensador muy consecuente, pero jamás podría responder de las consecuencias, aunque me dedicase a meditar hasta enloquecer. No las comprendo: son algo que solamente puede comprender un hombre casado...

Ayer Cordelia y yo fuimos a visitar a una familia conocida que está veraneando. Pasamos la mayor parte del tiempo en el jardín entregados a diversos ejercicios físicos. Entre otras cosas, se jugó con los aros. Un señor que estaba jugando con Cordelia se marchó y aproveché la oportunidad para ocupar en seguida su puesto.

Cordelia se movía con gran donaire y el esfuerzo del juego la hacía aún más seductora y destacaba su belleza. En el contraste de sus músculos había una fascinadora armonía. Era tan ligera que semejaba no tocar la tierra, su figura resultaba ditirámbica, su mirada, vivificadora. Para mí, como es lógico, el juego revestía especial interés. En cambio, Cordelia parecía no prestarle excesiva atención. Por eso lancé mi aro a otra jugadora: ella quedó igual que si la alcanzase un rayo. Desde aquel momento, cambió la situación. Vi que Cordelia se había llenado súbitamente de una mayor energía. Con los aros listos, aguardé unos instantes, hablando algunas palabras con los presentes. Ella comprendió la pausa. Entonces le lancé los dos aros que ella recogió en seguida con sus palillos, pero me los devolvió demasiado altos, como si se equivocase, y no pude recoger ninguno. Y acompañó el juego con una mirada de infinita audacia: en aquel momento estaba más hermosa que nunca y parecía querer gritar: «¡Viva el amor!». No creí oportuno mantenerla en tal estado de ánimo pues en seguida hubiese aparecido la languidez que sigue a las emociones fuertes. Mantuve, por tanto, la calma, simulando no haberme dado cuenta de nada: eso la obligó a continuar el juego.

Si nuestra época se interesase por ciertas averiguaciones, yo propondría un premio a quien respondiera mejor a estas preguntas: ¿En quien es más grande el pudor, estéticamente hablando: en una muchacha o en una mujer joven? ¿En la inocente e ingenua o en la consciente y enterada? ¿Y a cuál de ambas hay que conceder mayor libertad?

Desgraciadamente, en nuestros días hay demasiada seriedad para que nadie se ocupe de ciertas cuestiones, que en la antigua Grecia, sin embargo, hubieran despertado un interés general y, especialmente de las mujeres, casadas o no; incluso hubiera podido agitar a toda la república. En nuestro tiempo, esto parece increíble, como parece increíble la historia de aquella famosa disputa entre dos vírgenes griegas, que brindó ocasión para un examen completo de su persona física. Estos problemas no se trataban a la ligera en Grecia: todos saben que Venus, después de esa discusión, consiguió un nuevo triunfo que, definitivamente, la consagró como la imagen de la Venus perpetua.

En la vida de una mujer casada hay dos períodos en los que resulta verdaderamente interesante: cuando se casa y cuando ha entrado en años. Pero hay un momento en el que es más encantadora que una niña, y al mismo tiempo, digna de mucha más veneración: ese instante llega muy rara vez en la vida; es una imagen de la fantasía que no es necesario ver en la realidad y que tal vez en la realidad nunca podrá verse. Me imagino a una mujer de espléndida salud, que sostiene a un niño entre sus brazos, al que prodiga todos sus cuidados y mil veces lo mira embelesada. Esta imagen es lo que la existencia humana puede ofrecer de más amable y mágicamente hermoso, es un mito de la naturaleza y, por lo mismo, no puede ser visto *in natura*, sino únicamente en el arte. Pero cerca de esa imagen no deben aparecer otras personas, para que no se eche a perder todo el efecto.

A menudo nos ocurre, por ejemplo, ver en nuestras iglesias a una madre con el niño en sus brazos. Pero, ¡que distinto efecto causa esa figura en nosotros a causa de todas las cosas reales que la rodean! Aun prescindiendo de la molestia que nos ocasionan los gritos del pequeñuelo y la idea de las cuitas y las esperanzas que los padres tienen ya en su porvenir, el ambiente es de por sí tan inadecuado que aun siendo todo lo demás perfecto, el efecto, se pierde siempre. Se comienza por ver al padre y he ahí en seguida un error. Porque en esa figura desaparece lo que hay de encantador y místico en el grupo: con el padre, vemos toda la serie grave y solemne de los abuelos, vemos..., vemos.., y concluimos por no ver nada más. Quisiera tener rapidez y temeridad suficientes para dirigir mis ataques a la realidad, pero si viera aquella imagen en la realidad, las armas se me caerían de las manos...

Cordelia sigue ocupando aún mi corazón. Pero dentro de poco este período habrá pasado; mi alma debe rejuvenecer constantemente. Me parece ya oír a lo lejos el fatídico canto del gallo. Quizá también ella lo escucha, pero cree que anuncia la aurora...

¿Por qué deben ser tan hermosas las muchachas y marchitarse tan pronto las rosas?... ¡Ay de mí! Son éstas, ideas que casi me vuelven melancólico, aunque no nazca en mí... ¡Gocemos de la vida y cortemos las rosas antes de que se marchiten! Pero incluso si estos pensamientos pudiesen cambiar mi humor, no sería un daño excesivamente grande. Pues una cierta melancolía pintada en el rostro sirve para hermosear al hombre y hacerlo más interesante; y es una de las mejores artes masculinas del amor, el saber ocultar como un velo de niebla engañadora, la propia energía viril.

Cuando una joven se ha abandonado a un hombre, todo concluye en breve. Aún me acerco a una doncella con algún temor y con el corazón palpitando, pues percibo el eterno poder que hay en su ser. Esto jamás me ocurre junto a una mujer casada.

La poca resistencia que ella trata de oponerme, de un modo artificial, no es gran cosa. Por eso mi ideal fue siempre Diana. Siempre llenaron mi espíritu aquella pura virginidad, aquella total esquivez.

En mis reflexiones, me pregunto a menudo en qué instante puede parecer más seductora una muchacha. La respuesta, naturalmente, varía de acuerdo con lo que se desea, con la medida de lo deseado y con el estado de perfección espiritual al que se ha llegado.

Creo que nunca es tan seductora como en el día de la

boda. Cuando la muchacha se ha puesto ya su vestido de esponsales y el esplendor de las ropas palidece ante el esplendor de su belleza y ella misma se muestra pálida; cuando en ella se detiene la sangre, el pecho permanece inmóvil, la mirada se torna insegura, el pie titubea, la virgen tiembla, el fruto madura; cuando el cielo la levanta, la seriedad la robustece, la promesa la sostiene, el ruego la bendice, el mirto la corona; cuando el corazón palpita y ella abate la vista al suelo y se oculta en sí misma; cuando su pecho se ensancha en el suspiro, la voz languidece, la lágrima tiembla; cuando el enigma está por resolverse y la antorcha por encenderse; cuando el esposo ya espera, ese instante es aquel en que la muchacha está más seductora.

Aún queda un paso por dar, que puede ser un paso en falso. Ese momento hace interesante incluso a la muchacha menos favorecida. Pero todo ha de colaborar. Si en el instante en que los extremos se tocan, se hace sentir la falta de alguna cosa, sobre todo en los contrastes más valiosos, la situación pierde al instante gran parte de su seducción.

Hay un grabado en cobre que representa a una niña antes de su confesión. Es todavía tan tierna, tan inocente, que por ella y por el confesor se experimenta una verdadera perplejidad, pensando de qué puede tener que confesarse. Se ha quitado el velo de la cara y mira en el mundo, ante sí misma, como si buscara algo que usar en la próxima confesión. Naturalmente, es un deber que tiene para con el confesor. La situación es realmente fascinadora y nada tendría en contra para colocarme a mí mismo en el fondo de la escena. Pero entonces esa situación llegaría tal vez a ser comprometida, porque es una niña aún y debe pasar mucho tiempo antes de que haya llegado el instante preciso.

En mis relaciones con Cordelia, ¿supe mantenerme siempre fiel a mis deberes? Aludo a mis deberes hacia la estética, porque lo que me da fuerzas es pensar que tengo la idea de parte mía.

Se trata de un secreto, como el de la cabellera de Sansón,

y ninguna Dalila podría privarme de las seducciones. Si tan sólo pretendiese engañar a una muchacha, no valdría, en efecto, la pena, pero en todo eso me acompaña la Idea, actúo al servicio de la Idea y a ella me consagro. Lo que me hace más severo para conmigo mismo y me retiene de todo placer prohibido.

¿Me ocupé siempre de lo interesante? Sí, y lo puedo afirmar incluso en este íntimo soliloquio. El noviazgo resultó interesante por el hecho de que no tuvo un interés en el significado vulgar de la palabra y conservó ese interés porque la apariencia externa contrastaba con la vida interna.

Si Cordelia hubiera tenido conmigo tan sólo relaciones secretas, nuestra relación habría sido interesante tan sólo a primera potencia. En cambio, ahora lo está a la segunda. El compromiso será disuelto; ella misma lo anulará, para poder lanzarse a esferas más altas. Así debía ser. Y esta es la forma de lo interesante que Cordelia va a conservar por más tiempo.

16 de septiembre

¡Los vínculos están rotos! Ahora ella vuela, como el águila, hacia el sol, llena de nostálgicos anhelos, fuerte, atrevida, divina. ¡Vuela, pájaro, vuela! Pero si te robara este vuelo de reina, sentiría un dolor infinito y profundo: el mismo dolor que debió sentir Pigmalión cuando vio a su amada volverse piedra. Yo la volví ligera, ligera como el pensamiento. Y si ahora ese pensamiento no debiera pertenecerme, ¡sería algo terrible!

Si eso hubiese ocurrido un instante antes, nada me habría importado; tampoco mucho me afligiría si eso debiera suceder un instante después; pero ahora, ahora, ese instante equivale a la eternidad. Por ella se irá de mí volando. ¡Por tanto, vuela, pájaro, vuela, elévate orgulloso con tus alas de águila, que pronto estaré cerca de ti, pronto estaré contigo oculto en la más honda soledad del éter, lejos de todo el mundo!

La noticia del rompimiento del noviazgo causó cierta sorpresa a la tía. Aunque sé que ella no intentará en modo alguno imponer su voluntad a Cordelia, intentó algo para que se interesara por mí, en parte para engañarla mejor y en parte para estimular a la propia Cordelia.

Además, la tía muestra bastante interés por mi caso y, seguramente, ni se me ocurre que no quisiera ver crecer ese interés como para que interviniese en el asunto: tendría mis buenas razones para impedírselo.

Cordelia ha obtenido permiso de la tía para visitar durante unos días a una familia conocida que vive en el campo. Esto favorece a la perfección mis proyectos.

Así no va a tener oportunidad de abandonarse totalmente a la superabundancia de sensaciones. Mediante presiones externas de diversa índole, su espíritu continuará bajo presión durante algún tiempo. En ese caso haré aún más raras mis relaciones con ella y sólo me mantendré en comunicación por carta: de ese modo, nuestras relaciones adquirirán una nueva frescura.

Cordelia debe sentirse fortalecida en la actualidad; sobre todo, hay que inspirarle un excéntrico desdén por los hombres y por todas las cosas acostumbradas.

Cuando llegue el momento de mi partida, voy a darle como escolta, en vez de cochero, un joven de mi confianza, con el que se reunirá mi criado, al salir de la ciudad. Este la acompañará hasta el sitio destinado y quedará a su disposición hasta que sea preciso. Allá lo dispondré todo yo mismo, con el mejor gusto posible; todo aquello que pueda servir para embriagar su alma y acunarla en el bienestar más perfecto.

Mi Cordelia:

Las quejas de varias familias acerca de nosotros no se unieron todavía para alarmar a toda la ciudad con un alboroto de gansos del Capitolio. Imagina, reunida en torno a la tetera o a la cafetera, a una asamblea de pequeños burgueses y de chismosas, bajo la presidencia de alguna dama, que sea digna contrapartida del inmortal presidente Lars, retratado en *Claudius*, y tendrás un cuadro, una reconstrucción o una medida de lo que has perdido, al mismo tiempo que la consideración de la gente honesta.

Acompaña mi carta el famoso grabado que representa al presidente Lars. No pude encontrarlo separado, por lo que compré el *Claudius* y, una vez quité el retrato, tiré el resto. ¿Cómo podría molestarte con un regalo que en estos momentos no tiene para ti la menor importancia? Aunque haría cualquier cosa con tal de que te sintieras complacida por un breve instante, ¿cómo podría tolerar que una sola cosa inadecuada llegara a mezclarse en la situación? Esto puede ocurrirles a los hombres que deben vivir esclavizados por la naturaleza y las contingencias limitadas. Pero tú, mi Cordelia, en tu libertad lo odiarías.

Tu Johannes.

Si la primavera es la época más hermosa para enamorarse, el otoño es preciso para alcanzar el fin que se desea. En otoño hay una melancolía que responde a esa sensación de desaliento que nos envuelve cuando pensamos en la satisfacción de nuestros deseos.

Hoy quise ir a la casa de campo que durante unos días será el ambiente adecuado para el alma de Cordelia. Pero no quiero estar presente en ese momento de alegre sorpresa que ella sentirá al entrar, pues, entonces, varias sensaciones amorosas debilitarían su alma. Si, en cambio, permanece sola, le parecerá estar sumergida en un dulce ensueño y cada vez hallará un reclamo, un signo, como un mundo de encantamiento.

Todo esto no ocurriría si yo estuviera presente porque ella iba a olvidar en ese instante, que aún no ha llegado, la hora en que ese gozo común tendrá su verdadera importanc.a. El ambiente no debe aturdir su alma casi como un narcótico, sino que ha de contribuir a elevarla, tanto que con una mirada de superioridad pueda considerar lo que se presente como una nimiedad en comparación con lo que va a venir.

Yo mismo, para mantenerme en un estado anímico análogo, visitaré a menudo ese sitio en los días que aún faltan.

Mi Cordelia:

Ahora puedo llamarte mía verdaderamente... No es a causa de ningún signo exterior por lo que estoy convencido de mi posesión. ¡Pronto serás mía! Y cuando te tenga aprisionada en mis brazos y tú me aprietes sobre tu corazón, no tendremos seguramente necesidad del anillo nupcial para sentir pertenecernos el uno al otro. Nuestro anillo es el abrazo: ¿no vale tal vez más que un distintivo?

Y la libertad será tanto mayor cuanto más este anillo nos apriete uniéndonos indisolublemente porque tú estarás libre sólo perteneciendome y yo estaré libre sólo siendo tuyo.

Tu Johannes.

Mi Cordelia:

Durante una cacería, Alfeo se enamoró de la ninfa Aretusa, pero no quiso ser suya y huyó, huyó siempre delante de él hasta que en la isla Ortigia se convirtió en fuente. Alfeo sufrió mucho y acabó metamorfoseándose en río, en ese río que ahora corre, con el nombre de Elis, por el Peloponeso. Pero nunca olvidó su amor y bajo las olas del mar pudo al fin reunirse con su amada. ¿Pasó tal vez el tiempo de las metamorfosis? ¡Respóndeme! ¿Pasó quizás el tiempo del amor?

¿A qué otra cosa puede compararse tu alma, sino a una fuente, tu alma pura y honda que ninguna relación tiene con el mundo? Y yo, como ya te dije, soy un río enamorado de ti. Y en ese momento que me siento separado de ti, me precipito en el mar para poder reunirme contigo: en el mar del pensamiento, del deseo infinito.

Nos encontraremos debajo de aquellas ondas y sólo entonces, en esa profundidad, vamos a pertenecernos los dos por entero, el uno al otro.

Tu Johannes.

Mi Cordelia:

Pronto, muy pronto, vas a pertenecerme.

En el instante en que el sol cierra sus ojos vigilantes y concluye la historia y comienza el mito, envuelto en el manto de la noche, correré yo hacia ti, tendiendo el oído para encontrarte.

Y te traicionarían los fuertes latidos de tu corazón, no tus pasos.

Tu Johannes.

En ocasiones, cuando estoy lejos de Cordelia, no en persona sino en espíritu, me intranquiliza la idea de lo que ella pueda pensar acerca del futuro. Hasta hoy, no creo que piense en eso ya que supe aturdirla bien, estéticamente.

No puedo imaginar nada más opuesto al amor que las eternas conversaciones sobre el porvenir. En realidad, su verdadera razón está en que no se sabe encontrar otro modo de pasar el tiempo. Cuando estoy cerca de Cordelia, nada de eso temo, pues el tiempo y la eternidad desaparecen ante ella.

Quien no logre alcanzar tal influencia en las relaciones espirituales con una muchacha, debe renunciar a toda idea de seducirla. Pues en ese caso va a serle imposible esquivar dos escollos: las preguntas acerca del futuro y la catequización religiosa. Margarita toma a Fausto un breve examen sobre la fe y la cosa nos parece muy lógica, porque Fausto tuvo la poca previsión de exhibirse constantemente como un caballero y cualquier muchacha está siempre bien defendida contra tales ataques.

Creo que ya todo está dispuesto para recibir a Cordelia. Nada olvidaré de aquello que pueda significar algo para ella, pero nada dejé que de un modo claro e insistente pareciese recordarme. Pero, si bien invisible, en todo estoy presente.

Es de máxima importancia la impresión que reciba en el primer momento. Por eso di instrucciones precisas a mi criado, que es un artista en esas cuestiones y que no tiene precio.

Todo marcha de acuerdo con los deseos. Desde el centro de la habitación, se ve por ambos lados el horizonte infinito y se siente la soledad en el inmenso océano del aire. Y si nos acercamos a una ventana, un bosque se curva ante nosotros, igual que una corona que todo lo limita y lo rodea en paz. Así debe ser. ¿No ama el amor la quietud aislada? El paraíso terrenal fue un lugar cerrado, un jardín que se extendía hacia Oriente.

Si nos acercamos a la ventana, vemos un pequeño lago, tranquilo, humildemente oculto entre sus frondosas orillas; en la playa hay una barca. Un suspiro del corazón hinchado, inquieto aliento de los pensamientos, pasa por la orilla, resbalando por el lago, a impulsos del leve soplo de un deseo que carece de palabras.

El alma se pierde en la misteriosa soledad de la selva o se acuna en las minúsculas olas del lago que sueña con las verdes oscuridades del bosque...

Por el otro lado, se extiende ante los ojos el mar infinito... Y el amor ama lo infinito: el amor teme las fronteras...

Sobre la sala hay una salita, casi un gabinete, parecida hasta el engaño a la casa de los Wahl. Una alfombra de mimbre cubre el piso, lo mismo que allí, ante el diván hay una mesita para el té y encima pende una lámpara, exactamente como en aquella casa... Todo está exactamente igual, pero aquí tiene un valor mucho más grande. Bien puedo permitirme este pequeño aumento en la calidad.

En la sala, un piano parece el de casa de las Jensen, que ella conoce tan bien. En el atril, se encuentra la breve canción sueca.

La puerta principal no está cerrada, pero Cordelia deberá entrar por otra: Hans lo sabe perfectamente. Sus ojos deberán ver al mismo tiempo la salita y el piano, para que los recuerdos se despierten en su alma: en aquel mismo instante, Hans abrirá la puerta.

Así la ilusión será completa.

Tengo la seguridad de que Cordelia estará contenta de todo. Cuando contemple la mesita, advertirá un libro, Juan irá a tomarlo como si lo fuera a guardar y dirá de un ligero:

—Un señor que estuvo aquí esta mañana debió olvidarlo.

Así Cordelia sabrá que aquella misma mañana yo estuve en la salita y sentirá deseos de ver el libro.

Es una traducción alemana de *Dafnis y Cloe* de Apuleyo. No es poesía, no convendría a mis fines que lo fuera. Pues iba a representar una ofensa para cualquier muchacha presentarle poesía en esos momentos, como dudando de que ella no estuviera lo suficientemente dotada de fuerza poética y no supiera comprender que la poesía emana de la realidad de los sucesos, sin tener que ir a buscarla ya elaborada por el pensamiento de otro.

En general, se presta poca atención a esas cosas. Ella querrá leer en ese libro: así alcanzo mi finalidad. Al abrirlo en el punto en que estuvieron leyendo por última vez, encontrará una ramita de mirto y va a comprender que está allí para significar mucho más que una simple señal entre dos páginas.

Mi Cordelia:

¿Tienes miedo? Mantengámonos apretados y seremos fuertes, más fuertes que el mundo y que los dioses. ¿Sabes? En una época vivió en la tierra una raza de hombres, pero era de un modo que, sintiendo que se bastaban a sí mismos, no conocían los dulces vínculos del amor.

Pero eran muy fuertes, tanto que un día pretendieron asaltar el cielo. Zeus no les temía y los dividió de tal modo que de cada uno de ellos derivaron dos seres nuevos: un hombre y una mujer.

A veces, ocurre que dos que antes fueron un solo ser, vuelven a unirse nuevamente por la fuerza del amor y entonces ellos son más fuertes que Zeus, más fuertes aún que aquel primitivo ser único, porque la unión en el amor es la fuerza suprema...

Tu Johannes.

24 de septiembre

La noche está tranquila... Son las doce menos cuarto. Las cornetas de los centinelas de las puertas de la ciudad suenan como una bendición sobre los campos, repetidas, con un ligero eco, por el dique.

Todo duerme en paz, menos el amor. ¡Fuerzas misteriosas del amor, alzaos para reuniros alrededor de mi pecho!

¡Noche silenciosa! Tan sólo un solitario pájaro rompe esa gran calma con un grito estridente y un batir de alas. Puede que también vuele a una cita de amor... *accipio omen*!, acepto el presagio...

Toda la naturaleza me parece llena de presentimientos.

Voy viendo auspicios en el vuelo de un pájaro, en su estridencia, en el deslizarse de los peces que suben osados hasta la superficie del lago para desaparecer nuevamente, del ladrido de unos perros, del ruido de un coche, de los pasos de un hombre que apresuradamente camina ante mí.

En torno mío, todo asume un valor figurativo y yo mismo me siento como un mito ante mí mismo ¿no es algo mítico el correr hacia ese encuentro?

No importa quien soy. En el olvido van desapareciendo lo finito y lo mortal, para que sólo quede lo eterno: la fuerza del amor, el deseo infinito y la beatitud. Mi alma es como un arco tendido, los pensamientos están en ella preparados cual dardos en la aljaba, sin veneno, pero dispuestos para penetrar en la sangre... Mi alma se siente fuerte, fresca y presente en sí misma, como un dios...

Ella era hermosa por naturaleza.

¡Gracias a ti, oh maravillosa naturaleza! Velaste por ella cual una madre. ¡Te agradezco ese admirable cuidado!

Y también gracias a todos vosotros, seres humanos, a quienes ella debe gratitud. Yo sólo desarrollé su alma. Y en breve encontraré mi recompensa.

¡Cuántas cosas concentró en el instante que se aproxima! ¡Sería peor que mi suerte, peor que la perdición, si no lograse aferrarlo!

Aún no veo el coche...

Oigo restallar una fusta; sí, es mi cochero... ¡Corre, corre como si dependiera tu vida! Cuando lleguemos a la meta, pueden desaparecer los caballos, pero ni un segundo antes...

25 de septiembre

¿Por qué no había de durar infinitamente una noche como ésta?

Ahora, ya ha pasado todo; no deseo volverla a ver nunca más...

Una mujer es un ser débil; cuando se ha dado totalmente lo ha perdido todo: si la inocencia es algo negativo en el hombre, en la mujer es la esencia vital...

Ya nada tiene que negarme. El amor es hermoso, sólo mientras duran el contraste y el deseo; después, todo es debilidad y costumbre.

Y ahora ni siquiera deseo el recuerdo de mis amores con Cordelia. Se ha desvanecido todo el aroma. Ya ha pasado la época en que una muchacha podía transformarse en heliotropo a causa del gran dolor de que la abandonasen...

Ni siquiera deseo despedirme; me fastidian las lágrimas, y las súplicas de las mujeres, me revuelven el alma sin necesidad.

La amé en un tiempo, pero de ahora en adelante ya no puede pertenecerle mi alma... De ser un dios, haría con ella lo que hizo Neptuno con una ninfa: la iba a transformar en hombre...